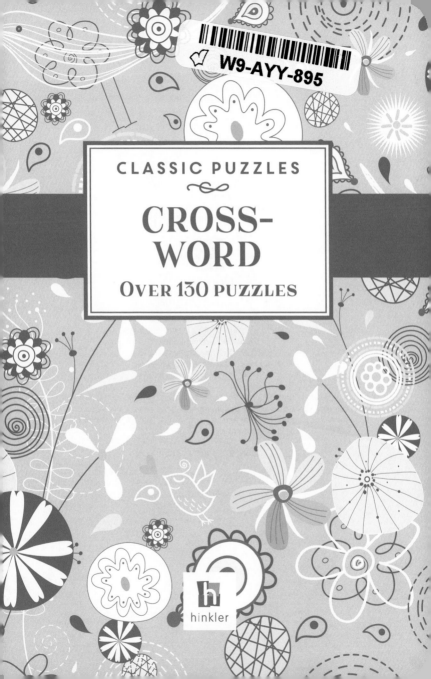

W9-AYY-895

CLASSIC PUZZLES

CROSS-WORD

OVER 130 PUZZLES

hinkler

Published by Hinkler Books Pty Ltd
45–55 Fairchild Street
Heatherton Victoria 3202 Australia
www.hinkler.com

hinkler

Cover design: Bianca Zuccolo
Internal design: Hinkler Design Studio
Prepress: Splitting Image
Puzzles © Clarity Media, 2018
Design © Hinkler Books Pty Ltd 2018
Images © Shutterstock.com

ISBN: 978 1 4889 1212 2

Printed and bound in China

INSTRUCTIONS

∽

If you're not familiar with crossword puzzles, here are some tips for how to solve them.

The goal is to solve the clues and write the answers, letter by letter, into the blank squares in the grid. The numbered clues will direct you to fill in the answers both across and down the grid. Fill in the obvious answers first and then look again at the puzzle clues–there may be an easy answer you didn't notice or one that's easier now because some letters have been filled in.

Numbers in parentheses after each clue reveal the number of letters in each answer, matching the number of spaces in the grid. Multiple numbers separated with a comma indicate multiple words; numbers separated with a hyphen indicate hyphenated words.

Clues ending in "(abbrev.)" indicate that the solution is an abbreviation; clues ending in "(anag.)" indicate that the solution is an anagram; if there is "(pl.)" after a clue it means the answer is a plural, while clues ending in "(inits.)" indicate that the solution is a set of initials.

Some handy tricks are checking if an "s" in the last position works for standard plural-words clues and "ed" for past-tense clues. Keep working through the list of clues and, if you're stumped, try again later! Sometimes you just need a break for your brain to retrieve the answer.

SOLVING TIPS

These books are in **US English**, so you can use the Merriam-Webster Dictionary for help, which can be found in stores or online at www.merriam-webster.com.

If you are used to UK, Canadian, or Australian English, look out for the following conversions to US English:

- "-ise" becomes "-ize"
E.g. realize and digitize

- "-our" becomes "-or"
E.g. humor, neighbor, and favorite

- "-re" becomes "-er"
E.g. theater and fiber

- "-ll" becomes "-l"
E.g. counselor and traveling

- "-ce" becomes "-se"
E.g. defensive and license

- "-s" becomes "-z"
E.g. cozy and analyze

- "-gue" becomes "-g"
E.g. catalog and analog

If you're unsure, you can always refer to the Merriam-Webster Dictionary. Happy solving!

PUZZLES

Across

1 Totally erase (4)
3 Casually (anag.) (8)
9 Cosmetic liquids (7)
10 ___ Federer: tennis star (5)
11 Principal face of a building (12)
14 State of armed conflict (3)
16 Rocky; harsh (5)
17 SI unit of illuminance (3)
18 Electronic security device (7,5)
21 Military trainee (5)
22 Large room (7)
23 Evacuating (8)
24 Surprise (4)

Down

1 Game bird (8)
2 Paved area (5)
4 Mammal of the horse family (3)
5 Immediately (12)
6 Reasonably to be believed (7)
7 Thread (4)
8 Honestly (12)
12 Vapor bath (5)
13 Figure of speech (8)
15 Summary of news (7)
19 Monks' superior (5)
20 Throb (4)
22 Metal container; is able to (3)

Across

1 Workers (5)
4 Exceptionally good (7)
7 Groups of animals (5)
8 Cut (8)
9 Looks after temporarily (5)
11 Trustworthy (8)
15 Australian island (8)
17 Hints (anag.) (5)
19 Shy (8)
20 Pilfer (5)
21 Skeleton of a motor vehicle (7)
22 Transmits (5)

Down

1 Drying substance (9)
2 Person moved from danger (7)
3 Layer of earth (7)
4 Roll of parchment (6)
5 Church man (6)
6 Assisted (5)
10 Unknown people (9)
12 Tennis officials (7)
13 Brighten up (7)
14 Fillings (6)
16 Wards off (6)
18 Tie; snag (5)

Across

1 Burden (4)
3 Musical composition (8)
9 An ancient galley with three banks of oars (7)
10 Chilly (5)
11 Exaggeration (12)
14 Nocturnal bird of prey (3)
16 State that has Augusta as its capital (5)
17 Muhammad ___ : boxer (3)
18 Thriftily (12)
21 Pollex (5)
22 Regeneration (7)
23 One who promotes goods (8)
24 Spheres (4)

Down

1 Conventional (8)
2 Join together (5)
4 Lyric poem (3)
5 Person recovering from an illness (12)
6 Copy (7)
7 Variety of chalcedony (4)
8 Resolvable (12)
12 Solid geometric figure (5)
13 Two-wheeled vehicles (8)
15 Varnish (7)
19 Bring down (5)
20 Plant stalk (4)
22 Eggs of a fish (3)

Across

1 Metal (4)
3 Beginning (8)
9 Arc of colored light (7)
10 Molten rock (5)
11 Type of military operation (5)
12 Connection (7)
13 Musical interval (6)
15 Juicy citrus fruit (6)
17 Coal bucket (7)
18 Gains possession of (5)
20 Shout of approval (5)
21 Rotate (7)
22 Having the power to radiate (8)
23 Egyptian goddess of fertility (4)

Down

1 Untrustworthy (13)
2 Expect; think that (5)
4 Absorbent cloths (6)
5 Profitable (12)
6 Fix deeply into the mind (7)
7 Inelegance (13)
8 Perceptions (12)
14 Huge wave (7)
16 History play by Shakespeare (5,1)
19 Metric weight units (abbrev.) (5)

Across

1 Arachnid (6)
5 Fastening devices (6)
8 Before long (4)
9 Grounding (of electricity) (8)
10 ___ Carter: former US President (5)
11 Decipher (7)
14 Expressively; in a detailed manner (13)
16 Idealistic (7)
18 Group of sheep (5)
20 Small slices of toasted bread topped with a spread (8)
22 TV award (4)
23 Be preoccupied with a topic (6)
24 Ascending (6)

Down

2 Making timely preparation for the future (9)
3 Forceful; energetic (7)
4 Regretted (4)
5 Removes errors (8)
6 Loathe (5)
7 Cooking utensil (3)
12 Male officer of the law (9)
13 Essential nutrients (8)
15 Land depressions (7)
17 Adhesive material (5)
19 Deceiver (4)
21 Steal (3)

Across

1 Warning sirens (6)
4 Jumped up (6)
9 ___ mechanics: branch of physics (7)
10 Have (7)
11 Inactive (5)
12 Strangely (5)
14 Pretend (5)
15 Alcoholic beverage (5)
17 There (anag.) (5)
18 Continue with (7)
20 Restricted in use (7)
21 Reduce to a lower grade (6)
22 Make less tight (6)

Down

1 Clear from a charge (6)
2 Roused from sleep (8)
3 Short choral composition (5)
5 Fixed sum paid regularly to a person (7)
6 Helper; assistant (4)
7 Vitreous (6)
8 Restlessly (11)
13 Debris (8)
14 Cargo (7)
15 Emulated (6)
16 Connective tissue (6)
17 Speed music is played at (5)
19 Quantity of paper (4)

Across

1 Substance used for polishing (8)
5 Masticate (4)
9 Deprive of weapons (5)
10 Layabout (5)
11 Dark purple soft fruit (10)
14 Forwards to another (6)
15 Substance present in cereal grains (6)
17 Complete cessation of taking a drug (4,6)
20 Female relation (5)
21 Individual things (5)
22 Government tax (4)
23 Pouched mammal (8)

Down

1 Fever (4)
2 Highway (4)
3 Areas of commonality (12)
4 City in Northeast Italy (6)
6 Exuberant merriment (8)
7 Fretting (8)
8 Doubting (12)
12 E.g. a spider or scorpion (8)
13 Flowing out (8)
16 Russian carriage (6)
18 Heat; burn (4)
19 Capital of Norway (4)

Across

1 Too (4)

3 Evading (8)

9 Small beds for babies (7)

10 Piece of code used to automate a task (5)

11 In the middle of (5)

12 High spirits (7)

13 Gave a speech (6)

15 ___ Everett: English actor (6)

17 Flying vehicle (7)

18 Love affair (5)

20 Make subject to (5)

21 Having a hue (7)

22 Gibberish (8)

23 Catch sight of (4)

Down

1 Food and lodging (13)

2 Get to one's feet (5)

4 ___ interest: a personal reason for involvement (6)

5 Limitless (12)

6 Slope (7)

7 Amiably (4-9)

8 Frame on which to hang garments (12)

14 E.g. from Ethiopia (7)

16 Unoccupied areas (6)

19 Unpleasant giants (5)

CROSSWORD ∞ 9

Across

1 Sentimentality (4)
3 Completely preoccupied with (8)
9 Visitor to an area (7)
10 Comedian (5)
11 Tending to increase knowledge (12)
14 Young newt (3)
16 Diviner of ancient Rome (5)
17 17th Greek letter (3)
18 Insistently (12)
21 Established custom (5)
22 Greek wine (7)
23 Defeated (8)
24 Nervy (4)

Down

1 Murmured (8)
2 Oar (5)
4 Nevertheless (3)
5 Peculiarity (12)
6 Business lecture (7)
7 Gaming cubes (4)
8 Graphical (12)
12 Taut (5)
13 Custom of having more than one husband or wife (8)
15 Distress (7)
19 Scottish landholder (5)
20 Drive away (4)
22 Male sheep (3)

Across

1 Having a spinal column (8)
5 Heroic poem (4)
8 Musical drama (5)
9 Alfresco (7)
10 Small herring (7)
12 Give up or surrender something (3,4)
14 Brushed off the face (of hair) (7)
16 Withstands (7)
18 Smoothing clothes (7)
19 Nonsense (5)
20 Departs (4)
21 Evaluator (8)

Down

1 Plant yield (4)
2 Unidirectional (3-3)
3 Medical analysis (9)
4 Inhabitant of Troy (6)
6 Quantum of electromagnetic energy (6)
7 Put into action (5,3)
11 John ___ : English landscape painter (9)
12 Discovering; finding out (8)
13 On the beach; on land (6)
14 A guess (anag.) (6)
15 Expels from a country (6)
17 Rip up (4)

Across

1 Spoken exam (4)
3 Equality of measure (8)
9 French country house (7)
10 Nearby (5)
11 Generally accepted (12)
13 Remove from office (6)
15 Adornment (6)
17 Act of discussing something; deliberation (12)
20 Island in the Bay of Naples (5)
21 Dog bred for racing (7)
22 Love song (8)
23 Blue-green color (4)

Down

1 Places where fruit trees are grown (8)
2 Taken ___ : surprised (5)
4 Violent gust of wind (6)
5 Exaggerated or overemotional (12)
6 Permits to travel (7)
7 Christmas (4)
8 Act of reclamation (12)
12 Microscopic organisms (8)
14 Succeed in an enterprise (7)
16 Fowled (anag.) (6)
18 Suggest (5)
19 Unreturnable tennis serves (4)

CROSSWORD 12

Across

1 Curved shape (4)
3 Wide-ranging (8)
9 Bands of connective tissue (7)
10 Vacant (5)
11 Act of making possible (12)
14 Mountain pass (3)
16 Stringed instrument (5)
17 Mineral spring (3)
18 Overpowering; engulfing (12)
21 Accounting entry (5)
22 Hates (7)
23 Ridges of facial hair (8)
24 Allot: ___ out (4)

Down

1 Trick (8)
2 Shaped like a volcano (5)
4 Used to be (3)
5 Coat an object with a metal (12)
6 Irreligious (7)
7 Men (4)
8 Fellow plotter (12)
12 One of ten equal parts: One-___ (5)
13 Generosity (8)
15 Deserving affection (7)
19 Offspring (5)
20 Lazy (4)
22 Ground condensation (3)

Across

1 Complied with a command (6)
5 ___ Schwarzenegger: actor (6)
8 Domesticated ox (4)
9 The birth of Jesus Christ (8)
10 Muffled explosive sounds (of vehicles) (5)
11 Having no purpose (7)
14 Trying to achieve too much (13)
16 Put in another's protection or care (7)
18 Rushes (5)
20 Neutral particle with negligible mass (8)
22 Inspired by reverence (4)
23 Subatomic particle such as a nucleon (6)
24 Ukrainian port (6)

Down

2 Ludwig van ___ : German composer (9)
3 Less old (7)
4 Dip into coffee (4)
5 Creative (8)
6 Central point (5)
7 Allow (3)
12 Silent (9)
13 The production and discharge of something (8)
15 Do repeatedly (7)
17 Irritable (5)
19 Country in West Africa (4)
21 Period of time (3)

Across

1 Part of the blood (6)
7 Former armed forces members (8)
8 ___ Ivanovic: tennis star (3)
9 Flourish (6)
10 Vessel (4)
11 Tree of the birch family (5)
13 Follow a winding course (of a river) (7)
15 Normally (7)
17 Illegal payment (5)
21 Official language of Pakistan (4)
22 Increase in intensity (4,2)
23 Alcoholic beverage (3)
24 Particular versions of a text (8)
25 Maws (6)

Down

1 Public square in Italy (6)
2 Diminished (6)
3 Take (of opportunity) (5)
4 Speaker (7)
5 Captive (8)
6 Complete (6)
12 Appraise (8)
14 Mass of flowers (7)
16 Walk with long steps (6)
18 Communicate knowledge (6)
19 Leases (anag.) (6)
20 Belief in a god or gods (5)

CROSSWORD ∞ 15

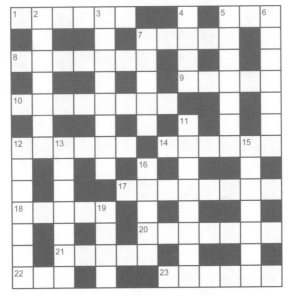

Across

1 Enter a country by force (6)
5 Cutting tool (3)
7 Allow (5)
8 Supplying (7)
9 Woodland primula (5)
10 Changing from water to ice (8)
12 Small pieces; slivers (6)
14 Rotates quickly (6)
17 These come after afternoons (8)
18 Mark of insertion (5)
20 Daydream (7)
21 Precise (5)
22 Faulty (3)
23 Natural depression (6)

Down

2 Nasal opening (7)
3 Rained gently (8)
4 Projectiles to be fired (abbrev.) (4)
5 Pertaining to the stars (7)
6 E.g. swords and guns (7)
7 Representative (5)
11 At any time (8)
12 Grouped together (7)
13 Prevented (7)
15 Recording (7)
16 Turn inside out (5)
19 Duck; greenish-blue color (4)

Across

1 Fire-breathing monster (6)
4 Mysterious; secret (6)
9 Clown (7)
10 Diminish (7)
11 Chambers used for baking (5)
12 Concentrate on (5)
14 Blood vessels (5)
15 Hand protector (5)
17 Excessive enthusiasm (5)
18 Container for washing (7)
20 Chuckled (7)
21 Limited in scope; of slender width (6)
22 ___ James: basketball star (6)

Down

1 Person who owes money (6)
2 In the open air (8)
3 Smells (5)
5 Refiles (anag.) (7)
6 Chopped wood (4)
7 Goes in (6)
8 Not wanted (11)
13 Conclusive argument (8)
14 Dizziness (7)
15 Small arboreal ape (6)
16 Make unhappy (6)
17 Electronic device (5)
19 Norse god of thunder (4)

CROSSWORD ∽ 17

Across

1 Extremely violent (5)
4 Trespass (7)
7 Counterfeit (5)
8 Uses a piece of machinery (8)
9 Wild animal (5)
11 Very happy (8)
15 Person who dispenses eyeglasses (8)
17 Common green plant (5)
19 Work surface (8)
20 Make a search (5)
21 Structures that span rivers (7)
22 Person invited to one's house (5)

Down

1 Giving an account of (9)
2 Completely free from moisture (4-3)
3 Very long lasting (7)
4 Hinder (6)
5 Lodger (6)
6 Narcotics (5)
10 Convey (9)
12 Happy to do something (7)
13 Imaginary (7)
14 Distributed (6)
16 Puts in position (6)
18 Carer (anag.) (5)

Across

1 Breathe hard (4)
3 Industrious (8)
9 Uncomplaining (7)
10 Natural underground chambers (5)
11 Tenaciously; doggedly (12)
14 Of recent origin (3)
16 Innate worth (5)
17 Domestic animal (3)
18 Corresponding (12)
21 Council chamber (5)
22 Giving (7)
23 Apprehended (8)
24 Unit of linear measure (4)

Down

1 Put off (8)
2 Fine powdery foodstuff (5)
4 Not well (3)
5 Unimportant (12)
6 Surround entirely (7)
7 Mission (4)
8 Accomplishments (12)
12 Claw of a bird of prey (5)
13 Physical power (8)
15 However (anag.) (7)
19 Negatively charged ion (5)
20 Creative thought (4)
22 Color or tint (3)

Across

1 Clutched (4)
3 Uncertain if God exists (8)
9 ___ Davenport: US tennis player (7)
10 Cinder (5)
11 Conduct to a place (5)
12 Warming devices (7)
13 Offend; affront (6)
15 Having reddish brown hair (6)
17 Exacted retribution (7)
18 Extent (5)
20 ___ Newton: English physicist (5)
21 Ray of natural light (7)
22 Holding close (8)
23 First man (4)

Down

1 Figment of the imagination (13)
2 Meal (5)
4 Symbolic figures (6)
5 Excessive in number (12)
6 Still image; dramatic scene (7)
7 Flower (13)
8 Relating to horoscopes (12)
14 Playground structures (7)
16 Thomas ___ : American inventor (6)
19 Ask for earnestly (5)

Across

1 Hard to imagine; astonishing (4-7)
9 Section of a long poem (5)
10 Tear (3)
11 Outside part of a pie (5)
12 Absolute (5)
13 Study of the nature of God (8)
16 Pennant (8)
18 Brass instrument (5)
21 Flowering plant (5)
22 Statute (3)
23 Lift with great effort (5)
24 Substance that arouses desire (11)

Down

2 Provider of financial cover (7)
3 Malleable (7)
4 Protective layer (6)
5 Tiger ___ : golfer (5)
6 Health professional (5)
7 Disturb the status quo (4,3,4)
8 Fitting (11)
14 The sun and stars (poetic) (7)
15 Pungent gas (7)
17 In the direction of (6)
19 Arise from bed (3,2)
20 Quintessence (5)

Across

1 Rents (6)
5 Nudges out of the way (6)
8 Flaring star (4)
9 Rude (8)
10 Infective agent (5)
11 Spiders spin these (7)
14 Tactically (13)
16 Tenth month (7)
18 Chairs (5)
20 Person owed money (8)
22 Mud (4)
23 Wound together (6)
24 Songlike cries (6)

Down

2 Vain (9)
3 Flat thin implement (7)
4 Small narrow opening (4)
5 Elation (8)
6 Under (5)
7 Intelligence; humor (3)
12 Involving two groups or countries (9)
13 Chosen (8)
15 Modified (7)
17 Relating to a bygone era (5)
19 Donkey noise (4)
21 Quarrel (3)

Across

1 Whip (4)
3 Tyrannical (8)
9 Andy ___ : former US tennis player (7)
10 Implant (5)
11 Body of voters (12)
14 Posed (3)
16 Unit of weight (5)
17 Belonging to us (3)
18 Awkward (12)
21 Breed of dog originating in Wales (5)
22 Trash (7)
23 Ominous (8)
24 Part of an eye or camera (4)

Down

1 Writer of the words to a song (8)
2 Country in Northeast Africa (5)
4 Large deer (3)
5 Forerunners (12)
6 Cigarette constituent (7)
7 Closing section of music (4)
8 Lexicons (12)
12 Singing voice (5)
13 Forward movement towards a destination (8)
15 Type of monkey (7)
19 Senseless (5)
20 Performs in a play (4)
22 Command to a horse (3)

Across

1 Anxiety disorder (6)
7 Margaret ___ : former British Prime Minister (8)
8 Healthy (3)
9 Graduates of a college (6)
10 Part of a pedestal of a column (4)
11 One divided by nine (5)
13 Brave (7)
15 Active during the day (7)
17 Once more (5)
21 Geographical region (4)
22 Specialized administrative unit (6)
23 Move on snow runners (3)
24 Opposition to war (8)
25 Country in North Europe (6)

Down

1 Seabird (6)
2 Get hold of (6)
3 Building blocks of elements (5)
4 Pertaining to matrimony (7)
5 Sailing swiftly (8)
6 Make less sensitive (6)
12 Small turtle (8)
14 Cook briefly (7)
16 Encroachment (6)
18 Entertained (6)
19 Concept (6)
20 Packs tightly (5)

Across

1 Enthusiasm (8)
5 Mocks (4)
8 Living thing (5)
9 Frequent customer (7)
10 Laboring (7)
12 Handful (7)
14 Rebuke (7)
16 Drive back by force (7)
18 Art of paper folding (7)
19 Tremulous sound (5)
20 Verge (4)
21 Bad luck (8)

Down

1 ___ Bryant: basketball star (4)
2 Upper classes (6)
3 Onset of darkness (9)
4 Spread out awkwardly (6)
6 Insipid (6)
7 Disregard (5,3)
11 Admired (9)
12 Frightening (8)
13 Season (6)
14 Part of the eye (6)
15 Aloof (6)
17 Smack (4)

CROSSWORD ∽ 25

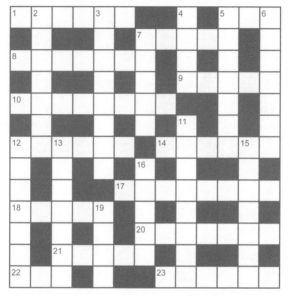

Across

1 Pieces of tough fibrous tissue (6)
5 Small viper (3)
7 Long-necked birds (5)
8 Seat of Congress (7)
9 Horse carts (5)
10 Where chefs prepare food (8)
12 Pressing keys on a keyboard (6)
14 Loops with running knots (6)
17 Perform a part with restraint for effect (8)
18 Seabird deposit (5)
20 Element with atomic number 31 (7)
21 Fertile area in a desert (5)
22 Snare or trap (3)
23 Rotate (6)

Down

2 Senselessness (7)
3 Viewing (8)
4 Suffered the consequences (4)
5 Attacks (7)
6 Pushes (7)
7 Instrument for throwing stones (5)
11 Act out a particular part (4-4)
12 Pulling at (7)
13 Model of excellence (7)
15 Cover with a hard surface layer (7)
16 Catches (5)
19 Supersede (4)

Across

1 Clenched hand (4)
3 Excellently; notably (8)
9 Not tense (7)
10 Mythical monster (5)
11 Contentment (12)
14 ___ out: get with great difficulty (3)
16 Run away with a lover (5)
17 Pro (3)
18 Displeasure (12)
21 Small antelope (5)
22 Felt hat (7)
23 Infinite time (8)
24 Cook slowly in liquid (4)

Down

1 Densely wooded (8)
2 Thin member of a back of a chair; flatten on impact (5)
4 Help; assist (3)
5 Fully extended (12)
6 Exhibitionist (4-3)
7 Part of an egg (4)
8 Extreme irritation (12)
12 Remote in manner (5)
13 Pristine (5-3)
15 Building (7)
19 Tines (anag.) (5)
20 Vein of metal ore (4)
22 Group of tennis games (3)

Across

1 Extreme fear (5)
4 Smooth and soft (7)
7 Direct competitor (5)
8 Soonest (8)
9 Precious stone (5)
11 Labors (8)
15 Partial shadow (8)
17 More recent (5)
19 Using indirect references (8)
20 Evil spirit (5)
21 Learner (7)
22 Journeys (5)

Down

1 Discovery (9)
2 Beg (7)
3 Not analog (7)
4 Ship (6)
5 States an opinion (6)
6 Sycophant (5)
10 Tough connective bodily tissues (9)
12 Fractional part (7)
13 Remove (a difficulty) (7)
14 Cause to remember (6)
16 Join the military (6)
18 Apply pressure (5)

Across

1 Stature (6)
4 Disturbance (6)
9 Entrust a secret to another (7)
10 Portentous (7)
11 Appears (5)
12 Rotates (5)
14 Prevent (5)
15 Assumed name (5)
17 Steps over a fence (5)
18 Type of cocktail (7)
20 Subsiding (7)
21 Most secure (6)
22 Large container (6)

Down

1 Carve or engrave (6)
2 Colored paper thrown at weddings (8)
3 Long poems derived from ancient tradition (5)
5 Most obese (7)
6 Ridge of rock (4)
7 Surrenders (6)
8 Respectful (11)
13 Provoking (8)
14 Aids (7)
15 Military forces (6)
16 Ronald ___ : 40th US President (6)
17 Stable compartment (5)
19 Lace collar (4)

Across

1 Reduction in price (8)
5 Legal document (4)
8 Rule (5)
9 Small stream of water (7)
10 Obliterate (7)
12 Rushes (7)
14 Newness (7)
16 Legal possession of land as one's own (7)
18 Made possible (7)
19 Small intestine (5)
20 Forefather (4)
21 Set in from the margin (8)

Down

1 Challenge to do something (4)
2 Mariner (6)
3 Very unpleasant (9)
4 People who care for the sick (6)
6 Doing nothing (6)
7 Recently (8)
11 Cliff face (9)
12 Toughness (8)
13 Make worse (6)
14 Blush (6)
15 Freshest (6)
17 Among (4)

Across

1 Grape variety (6)
7 Commonplace (8)
8 Golf peg (3)
9 Highly seasoned sausage (6)
10 Therefore (4)
11 Certain to fail (2-3)
13 Release air from something (7)
15 Triangle with three unequal sides (7)
17 Repeat (5)
21 Hired form of transport (4)
22 Establish by authority (6)
23 Female sheep (3)
24 Roman leaders (8)
25 Remains in one place in the air (6)

Down

1 Movement (6)
2 Playground apparatus (6)
3 This date (5)
4 Respects (7)
5 Form the base for (8)
6 Sudden fear (6)
12 Inopportune (3-5)
14 Tooth (7)
16 Delights greatly (6)
18 Dairy product (6)
19 Abilities (6)
20 Very silly or affected (5)

CROSSWORD ～ 31

Across

1 Padded support in a car (8)
5 Decapod crustacean (4)
8 Hard to please; picky (5)
9 Unpredictable (7)
10 Freedom (7)
12 Costs (7)
14 Not carrying weapons (7)
16 Takes away (7)
18 Put into service (7)
19 Angry (5)
20 Prying; intrusive (4)
21 Perfumes (8)

Down

1 Equipment for reproduction of sound (2-2)
2 Missing (6)
3 Capital of Iceland (9)
4 Odors (6)
6 Go back (6)
7 Area at the rear of a house (8)
11 Highly complicated (9)
12 Invalidate; reverse (8)
13 Helps (6)
14 Courtroom officials (6)
15 Picture made from lots of small pieces (6)
17 Valuable stones; well-beloved people (4)

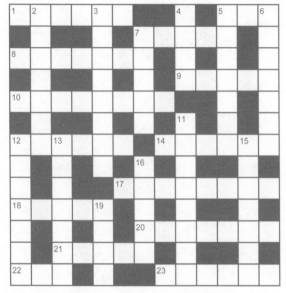

Across

1 Britney ___ : singer (6)
5 Opposite of in (3)
7 Estimate (5)
8 Sailing ship (7)
9 Element with atomic number five (5)
10 Animated drawings (8)
12 Take away (6)
14 Opposite of lower (6)
17 Monarchist (8)
18 Baffling question (5)
20 Having two feet (7)
21 Hazardous (5)
22 Lipid (3)
23 Warmed up (6)

Down

2 Throb (7)
3 Censure (8)
4 Action word (4)
5 Flightless bird (7)
6 Narrower (7)
7 Animal noise (5)
11 Name for New York City (3,5)
12 Decline or decrease (4-3)
13 Sweet course of a meal (7)
15 Capture; entrap (7)
16 Pastime (5)
19 Hasty or reckless (4)

Across

1 Moderately well (2-2)
3 Courteous and pleasant (8)
9 Improve equipment (7)
10 Push away (5)
11 Woody plant (5)
12 Loosen a hold (7)
13 Self-supporting structures (6)
15 Stagnation or inactivity (6)
17 Insensitive (7)
18 Way or course taken (5)
20 Creative thoughts (5)
21 Demands something forcefully (7)
22 Dressy clothes (4,4)
23 Soccer boot grip (4)

Down

1 Deep consideration of oneself (4-9)
2 Sweetener (5)
4 Expressing regret (6)
5 Type of cartoonist (12)
6 No harps (anag.) (7)
7 Composed in mind (4-9)
8 Troublemaker (6-6)
14 Volcanic crater (7)
16 Requesting (6)
19 Disturb (5)

Across

1 Casual (anag.) (6)
5 Cotton cloth (6)
8 Plant used to flavor food (4)
9 Albert ___ : famous physicist (8)
10 Thick slice of beef (5)
11 Patella (7)
14 Official permission (13)
16 Thick-___ : insensitive to criticism (7)
18 Spike driven into a rock (5)
20 More awkward (8)
22 Self-contained item (4)
23 Small pet (6)
24 Makes a weak cry (of sheep) (6)

Down

2 Filled with wonder (9)
3 Day of rest and worship (7)
4 Told an untruth (4)
5 Declare to be a saint (8)
6 Coffee drink (5)
7 22nd Greek letter (3)
12 One who defends a controversial view (9)
13 Cleaning feathers (8)
15 Commendation (7)
17 Titled (5)
19 Thrash (4)
21 Mauna ___ : Hawaiian volcano (3)

Across

1 Allows in (6)
7 Teaching (8)
8 Primary color (3)
9 Keep hold of (6)
10 Eager; keen (4)
11 Adjusted the pitch of (5)
13 Illness (7)
15 Elusive (7)
17 Sacred song (5)
21 Dejected (4)
22 To the point (6)
23 Influenza (abbrev.) (3)
24 Way of speaking (8)
25 Number of Apostles (6)

Down

1 Take into custody (6)
2 Make angry (6)
3 Dates (anag.) (5)
4 Domestic implement (7)
5 Makes wider (8)
6 Metamorphic rock (6)
12 Group of musicians (8)
14 Obvious (7)
16 Roman god of fire (6)
18 Tricky (6)
19 Self-contained unit (6)
20 Welcome (5)

Across

1 Relating to time (8)
5 Change course (4)
8 Feed on grass (5)
9 Gave an even surface to (7)
10 Having a mournful quality (7)
12 Deliver by parachute (3-4)
14 Evaluating (7)
16 Rice dish (7)
18 Livid (7)
19 City in Florida (5)
20 Young children (4)
21 Incorporated (8)

Down

1 Guts (anag.) (4)
2 Complainer (6)
3 Deficit in a bank account (9)
4 Slumbering (6)
6 Cream pastry (6)
7 Decreasing (8)
11 Relating to the outer layer of the skin (9)
12 Most annoyed (8)
13 Vivacious wit (6)
14 Michael ___ : basketball legend (6)
15 E.g. Iceland (6)
17 Bound (4)

Across

1 Decorate (6)
4 Ride a horse at pace (6)
9 Injurious (7)
10 Eucharistic rite (7)
11 Slips (anag.) (5)
12 Natural yellow resin (5)
14 Harass (5)
15 Nominal head of a city (5)
17 Passageway of the nose (5)
18 Savior; lifeguard (7)
20 Caustic (7)
21 Surge forwards (6)
22 Journey by air (6)

Down

1 On ___ of: as the agent of (6)
2 Laughably small (8)
3 Small restaurants (5)
5 Receptacle for cigarette residue (7)
6 Animal's den (4)
7 Sporting competitor (6)
8 Poorly behaved; impolite (3-8)
13 Closing the eyes momentarily (8)
14 Laborious (7)
15 Breed of sheep (6)
16 Incline (6)
17 School of fish (5)
19 Fly high (4)

Across

1 Opposite of highest (6)
7 Blew up (8)
8 Stimulus (3)
9 Material; textile (6)
10 Break quickly (4)
11 Dole out (5)
13 Speak haltingly (7)
15 Characteristics (7)
17 Equipped with weapons (5)
21 Swallow eagerly (4)
22 Highly seasoned stew (6)
23 Mixture of gases we breathe (3)
24 Sweat (8)
25 Jordan ___ : US golfer (6)

Down

1 Small cavity (6)
2 Wretched (6)
3 Rips (5)
4 Cloudiness (7)
5 User; purchaser (8)
6 Look out (6)
12 Transgress; disregard (8)
14 Faintly illuminated at night (7)
16 Made bitter (6)
18 Undergo change (6)
19 Scarcity (6)
20 Leers (5)

Across

1 Ringer (anag.) (6)
4 Compensate for (6)
9 Inactive pill (7)
10 Interconnected system (7)
11 Dangers (5)
12 Blurry (5)
14 Salty (5)
15 Reverence for God (5)
17 Capital of Ghana (5)
18 Capital of Kenya (7)
20 Stylishly (7)
21 Not dense (6)
22 Delegate a task (6)

Down

1 Distribute overseas (6)
2 Restore confidence to (8)
3 Requires (5)
5 Strengthen (7)
6 Wrestling sport (4)
7 Bird eaten at Thanksgiving (6)
8 Not in agreement (11)
13 Summer squash (8)
14 Past events (7)
15 Small horses (6)
16 Grand ___ : steep-sided gorge (6)
17 Singing voices (5)
19 Small quantity (4)

Across

1 Team (4)
3 Beneficially (8)
9 European country whose capital is Tirana (7)
10 Sharp blade (5)
11 Governmental abstention from interfering in the free market (7-5)
13 Musical dramas (6)
15 More likely than not (4-2)
17 Immaturity (12)
20 Ball of lead (5)
21 Accounts inspector (7)
22 Rocked (8)
23 Metric unit of mass (4)

Down

1 Green onion (8)
2 One of the United Arab Emirates (5)
4 Attractive and stylish (6)
5 Preservative (12)
6 Reptiles with scaly skin (7)
7 Unit of linear measure (4)
8 Not vulnerable to attack (12)
12 Very small unit of length (8)
14 Wear out completely (7)
16 Closing part of a performance (6)
18 Consumer (5)
19 Small fight (4)

Across

1 Express sympathy (11)
9 Child's nurse (5)
10 Anger (3)
11 Expressed clearly (5)
12 Upright (5)
13 Relating to the heart (8)
16 Irritate; exasperate (8)
18 Strongly advised (5)
21 Period of darkness (5)
22 Research place (abbrev.) (3)
23 Musical form (5)
24 Embroidery (11)

Down

2 Vague and uncertain (7)
3 Dull (7)
4 Wrongdoer (6)
5 Poetic verse (5)
6 Hackneyed (5)
7 Delightfully (11)
8 Nostalgic (11)
14 River in South America (7)
15 Something priced attractively (7)
17 Modify (6)
19 Triangular wall part (5)
20 Issued a challenge to another (5)

Across

1 Willingly (6)
5 Curved hand tool (6)
8 Grows old (4)
9 Traveler (8)
10 Express; absolute (5)
11 Explain more clearly (7)
14 Documentation (13)
16 Fulmars (anag.) (7)
18 Opaque gems (5)
20 Put back (8)
22 Woodwind instrument (4)
23 Expressions (6)
24 Over there (6)

Down

2 Astronomical unit of length (5-4)
3 Express disagreement (7)
4 Open the mouth wide when tired (4)
5 Protective skin cream (8)
6 Applaud (5)
7 False statement (3)
12 Free to travel about (9)
13 Distresses; troubles (8)
15 Hierarchical (3-4)
17 Leaf of a book (5)
19 Indolently (4)
21 Terminate (3)

Across

1 Francisco ___ : Spanish painter (4)
3 Empty (8)
9 Repository (7)
10 Quantitative relation between amounts (5)
11 Proficient marksman (12)
14 Apply (3)
16 More ashen in appearance (5)
17 Popular apple dessert (3)
18 Resistant to splintering (12)
21 Plant tissue (5)
22 Quiver (7)
23 Incidental diversion (8)
24 Possesses (4)

Down

1 Tumblerful (8)
2 Woody-stemmed plant (5)
4 Compete (3)
5 Mapmaker (12)
6 Belgian port (7)
7 Goes (anag.) (4)
8 Thick-skinned herbivorous animal (12)
12 ___ Berry: actress (5)
13 Altruistic (8)
15 Breathed out (7)
19 U-shaped curve in a river (5)
20 Center of rotation (4)
22 One and one (3)

Across

1 Very cold (of weather) (6)
7 Assign (8)
8 Moderately dry (of champagne) (3)
9 Sharp cutting implements (6)
10 Rain (anag.) (4)
11 Reduces one's speed (5)
13 Not in a hurry (7)
15 Full of emotion (7)
17 Stroll (5)
21 Small biting fly (4)
22 Sandstone constituent (6)
23 Nervous twitch (3)
24 Football field (8)
25 Organs that secrete (6)

Down

1 Items of value (6)
2 Grayish-brown bird; silly (6)
3 Cut with precision (5)
4 E.g. from Juneau (7)
5 Radioactive element (8)
6 Reach; achieve (6)
12 Moderately rich; prosperous (4-2-2)
14 Child's bedroom (7)
16 Possessors (6)
18 Having been defeated (6)
19 Expels (6)
20 Throw forcefully (5)

CROSSWORD ~ 45

Across

1 Heard (8)
5 Stick with a hook (4)
8 Ellipses (5)
9 E.g. from Moscow (7)
10 Uncovers (7)
12 Total amount of wages paid to employees (7)
14 Swimming costumes (7)
16 State whose capital is Atlanta (7)
18 Milk sugar (7)
19 Long flower stalk (5)
20 Noble gas (4)
21 Most amusing (8)

Down

1 Apparatus for weaving (4)
2 Unkempt (of hair) (6)
3 Relaxed and informal (4-5)
4 Reprimand (6)
6 Among (6)
7 Completes a race (8)
11 Phil ___ : famous golfer (9)
12 Scaly anteater (8)
13 Waterproof garment (6)
14 Flat-bottomed boat (6)
15 Invalidate; nullify (6)
17 Accomplishment (4)

Across

1 Make fun of (4)
3 Machine capable of flight (8)
9 Destructive (7)
10 Stage play (5)
11 Warning sound (5)
12 Moving to music (7)
13 Fig can (anag.) (6)
15 Vocalist (6)
17 E.g. glasses (7)
18 Valuable item (5)
20 ___ Streep: actress (5)
21 The Netherlands (7)
22 Opposite of southern (8)
23 Pottery material (4)

Down

1 US actor (6,7)
2 Porcelain (5)
4 In prison (6)
5 Punctiliously (12)
6 Incredible (7)
7 Hyperbolically (13)
8 A grouping of states (12)
14 Easier to see (7)
16 One who uses a bow and arrow (6)
19 Growl with bare teeth (5)

Across

1 Thorax (5)
4 Fanciful daydream (7)
7 Clothing made from denim (5)
8 Secured; tied (8)
9 Gain knowledge (5)
11 Ate greedily (8)
15 Airport checking devices (8)
17 Speaks (5)
19 Food of the gods (8)
20 Gets larger (5)
21 Fish-eating birds of prey (7)
22 Eater (5)

Down

1 Self-assured (9)
2 Difficult to catch (7)
3 Melodious (7)
4 Coat of wool covering a sheep (6)
5 Move unsteadily (6)
6 Acoustic detection system (5)
10 Periodical that is usually daily (9)
12 Robot in human form (7)
13 Variant of a thing (7)
14 Long pin (6)
16 Punctuation marks (6)
18 Land measures (5)

Across

1 Experiencing violent anger (6)
4 Eurasian shrub (6)
9 Fruit dessert (7)
10 Walked quickly (7)
11 Stringed instruments (5)
12 Strips of leather worn around the waist (5)
14 Tennis stroke (5)
15 Abrasive material (5)
17 Derisive smile (5)
18 Big cat (7)
20 Country whose capital is Reykjavik (7)
21 Selfish person (6)
22 Make a new version of (6)

Down

1 Fully (6)
2 Jewel (8)
3 Sheltered places (5)
5 Assign (7)
6 Chop into little pieces (4)
7 Escapes from (6)
8 Sector of a population (11)
13 Intelligentsia (8)
14 Methods (7)
15 Cut out (6)
16 Hold gently and carefully (6)
17 Type of leather (5)
19 German currency (4)

CROSSWORD ~ 49

Across

1 Contact by telephone (4)
3 People who place bets (8)
9 Reaches a destination (7)
10 Henrik ___ : Norwegian author (5)
11 Awkward (12)
13 Misplace (6)
15 Shining (6)
17 Air-___ : apparatus used to control temperature (12)
20 Bitterly pungent (5)
21 Cure-all (7)
22 Comedian (8)
23 Sort (4)

Down

1 Personal magnetism (8)
2 Line of a song (5)
4 Reply (6)
5 Temperature at which water turns to vapor (7,5)
6 Intrinsic nature (7)
7 Gins (anag.) (4)
8 Fairly (12)
12 Move to another country (8)
14 Scottish pouch (7)
16 System of social perfection (6)
18 Needing to be scratched (5)
19 One of two equal parts (4)

Across

1 Pollen traps (anag.) (11)
9 Scent (5)
10 Limb (3)
11 Frenzied (5)
12 Benefactor (5)
13 Elastic (8)
16 In every respect (3-5)
18 Gave up power (5)
21 Supply with food (5)
22 Pull a vehicle (3)
23 Giggle (5)
24 Energetically (11)

Down

2 Competitors in a race (7)
3 Appease (7)
4 Bath sponge (6)
5 Give a prize to someone (5)
6 Two (5)
7 Tame (11)
8 Needleworker (11)
14 Windpipe (7)
15 Relating to the Southern hemisphere (7)
17 Lapis ___ : semiprecious stone (6)
19 Fluffy (5)
20 River mouth formation (5)

CROSSWORD ∽ 51

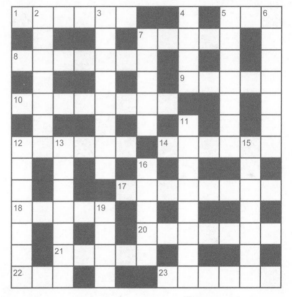

Across

1 Greek goddess of wisdom (6)
5 Droop (3)
7 Believer in God (5)
8 Feeling of sympathy (7)
9 Mediterranean island (5)
10 Retrieve a file from the internet (8)
12 Disappear (6)
14 Part of a stamen (6)
17 Quotation (8)
18 Financial resources (5)
20 Non-specific (7)
21 Short musical composition (5)
22 Relieve or free from (3)
23 Australian city (6)

Down

2 Type of lottery (7)
3 Undistinguished (8)
4 Photographic material (4)
5 Smart and fashionable (7)
6 A regret (anag.) (7)
7 Bob ___ : US singer (5)
11 Awkward (8)
12 Johannes ___ : Dutch painter (7)
13 Made ineffective (7)
15 Arousing intense feeling (7)
16 Mournful song or poem (5)
19 Goad on (4)

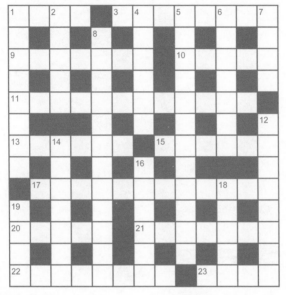

Across

1 Boxing match (4)
3 Type of tooth (8)
9 Correspondence (7)
10 Highways (5)
11 Birds of prey (6,6)
13 Legless larva of certain flies (6)
15 Old Portuguese coin (6)
17 Belligerence (12)
20 Bring into a line (5)
21 Absolutely incredible (7)
22 Fence of stakes (8)
23 Colors (4)

Down

1 Situation; contest (4,4)
2 Up to the time when (5)
4 Topics for debate (6)
5 True redesign (anag.) (12)
6 Flat highland (7)
7 Portion of medicine (4)
8 Changes to a situation (12)
12 Supreme legislative body (8)
14 Icy (7)
16 In a continuing forward direction (6)
18 Form of sarcasm (5)
19 Musical instrument (4)

Across

1 Penniless (5)
4 Not varying (7)
7 Sound made by a frog (5)
8 Act of hard work (8)
9 Unexpected plot element (5)
11 Approximate (8)
15 Decorative covering for presents (4,4)
17 Intimidate (5)
19 Catch a conversation between others (8)
20 Extent (5)
21 Inflexible (7)
22 Loose rock on a slope (5)

Down

1 Decorated with precious stones (9)
2 Opposes (7)
3 Perfect example of a quality (7)
4 Obtain through intimidation (6)
5 Pointed projectiles (6)
6 Conducts (5)
10 Moderate (9)
12 Works of fiction (7)
13 Better for the environment (7)
14 Weak through age or illness (6)
16 Make something new (6)
18 Targeted (5)

Across

1 Linger (4)
3 Traveler (8)
9 Copy (7)
10 Urge into action (5)
11 Advantageous; superior (12)
14 Bind (3)
16 Bird of prey (5)
17 A thing regarded as female (3)
18 Significant (12)
21 Spear (5)
22 Lack of movement (7)
23 Memento (8)
24 Adhesive (4)

Down

1 Small pieces; bits (8)
2 Apart from (5)
4 Mock (3)
5 Lacking courage (12)
6 Does the same thing again (7)
7 Move by rotating (4)
8 Failure to act with prudence (12)
12 Urged on (5)
13 Drink (8)
15 Enunciate (7)
19 Asian pepper plant (5)
20 Anti-aircraft fire (4)
22 Annoy (3)

Across

1 Small green vegetables (4)

3 Creature that eats both meat and plants (8)

9 Regimes (anag.) (7)

10 Small woodland (5)

11 Eccentricity (12)

13 Not ready to eat (of fruit) (6)

15 Flammable material (6)

17 Pleasurable (12)

20 Doctrine; system of beliefs (5)

21 Effective; having a striking effect (7)

22 Acted with hesitation (8)

23 Give up (4)

Down

1 Of great value (8)

2 Excuse used to avert blame (5)

4 Considering (6)

5 Incurably bad (12)

6 Against (7)

7 Female sheep (pl.) (4)

8 A contrary aim (5-7)

12 Preface (8)

14 Vote into office again (7)

16 Bovine animals (6)

18 Ingenuous (5)

19 Race along (4)

Across

1 Horse-drawn vehicle (4)
3 Surpass (8)
9 Get back (7)
10 Supple (5)
11 Andrew Lloyd Webber musical (5)
12 Uppermost layer of something (7)
13 Puts in the soil (6)
15 Celestial body (6)
17 Ideas (7)
18 Relating to sound (5)
20 E.g. from Dublin (5)
21 Earnings (7)
22 Inconceivably large (8)
23 Jealousy (4)

Down

1 Communicating with (13)
2 Christina ___ : US actress (5)
4 Furthest; extreme (6)
5 Autonomy (4-8)
6 Learn new skills (7)
7 Affectedly (13)
8 Extremely harmful; tragic (12)
14 Mound made by insects (7)
16 Birthplace of Saint Francis (6)
19 Evil spirit (5)

Across

1 Absence of passion (6)
5 Publishes (6)
8 Secure a boat (4)
9 Material used to cover floors (8)
10 A poison (5)
11 Moral rightness (7)
14 Originality (13)
16 Intensifies (7)
18 Go away from somewhere quickly (5)
20 Cocktail (8)
22 Speech impediment (4)
23 Beat as if with a flail (6)
24 Judge; weigh up (6)

Down

2 Make the sound of a word (9)
3 Finishing points (7)
4 University in Connecticut (4)
5 Clock timing device (8)
6 Tiles (anag.) (5)
7 19th Greek letter (3)
12 Purgation of emotions (9)
13 Diabolically cruel (8)
15 Scenes (7)
17 Stimulate curiosity (5)
19 Prima donna (4)
21 Exclamation of surprise (3)

Across

- **1** Continent (6)
- **5** Cry (3)
- **7** Frozen dew (5)
- **8** Forgive (7)
- **9** Songs for two people (5)
- **10** Type of book cover (8)
- **12** Discover (6)
- **14** Is unable to (6)
- **17** Cause to feel isolated (8)
- **18** Operatic songs (5)
- **20** Silly behavior (7)
- **21** Begin (5)
- **22** Great sorrow (3)
- **23** Narrow drinking tubes (6)

Down

- **2** Reason for doubt (7)
- **3** Act of removing troops from an area (8)
- **4** Narrated (4)
- **5** Become more precipitous (7)
- **6** E.g. a tuba player (7)
- **7** Barrier (5)
- **11** Without shoes (8)
- **12** Deny any responsibility for (7)
- **13** Walk aimlessly (7)
- **15** Get too big for something (7)
- **16** At or to a great height (5)
- **19** Large bodies of water (4)

Across

1 Frailty (8)
5 Not hot (4)
8 Leavening fungus (5)
9 Longed for (7)
10 Nonconformist (7)
12 Jovially celebratory (7)
14 Small spot (7)
16 Continue talking (5,2)
18 Concern; implicate (7)
19 Many times (5)
20 Precious metal (4)
21 Alienate (8)

Down

1 Routes; methods (4)
2 Changes; modifies (6)
3 Disrepute (9)
4 Cutting tool (6)
6 Elaborately decorated (6)
7 Give entirely to a cause (8)
11 Water storage facility (9)
12 Retrieving (8)
13 Small stones (6)
14 Smiles contemptuously (6)
15 Young cat (6)
17 Leg joint (4)

Across

1 Injure (6)
4 Keep secret (4,2)
9 Difficult choice (7)
10 Devotedly (7)
11 Foe (5)
12 Toned (anag.) (5)
14 Opposite of old (5)
15 Perhaps (5)
17 Roger ___ : English actor (5)
18 Reassess financial worth (7)
20 Answering correctly (7)
21 Meal (6)
22 Hand joints (6)

Down

1 Evades (6)
2 Fruit tree (8)
3 Sticky (5)
5 Undoing a knot (7)
6 Fling (4)
7 Made a victim of (6)
8 Insensitivity (11)
13 Concepts (8)
14 E.g. lemon and amber (7)
15 Muzzle-loading cannon (6)
16 Rules over (6)
17 Type of tooth (5)
19 Part of a shoe (4)

Across

1 Speak rapidly (6)
5 Doze (6)
8 Uncomfortable skin sensation (4)
9 Grow longer (8)
10 Pertaining to the sun (5)
11 Encode (7)
14 Respond aggressively to military action (13)
16 Very distrustful of human nature (7)
18 Hurts (5)
20 Genteel and feminine in manner (8)
22 Prod (4)
23 Well-being (6)
24 Senior members of tribes (6)

Down

2 Collection of poems (9)
3 Country in the Persian Gulf (7)
4 Part played by an actor (4)
5 Church rules (5,3)
6 Teacher (5)
7 Epoch (3)
12 Device that stimulates the heart muscle (9)
13 Stone of great size (8)
15 Snared (7)
17 Pastoral poem (5)
19 Where you are now (4)
21 Wonder (3)

Across

1 Thought curiously (8)
5 Wicked (4)
8 Devices for inflating tires (5)
9 Additional and supplementary part (7)
10 Teach (7)
12 Relating to Easter (7)
14 Accepted formally and put into effect (7)
16 Subject to persistent nagging (7)
18 General proposition (7)
19 Public disturbances (5)
20 Pleasingly pretty (4)
21 Make more concentrated (8)

Down

1 Cried (4)
2 Rain cloud (6)
3 Not here (9)
4 Substance that caps the teeth (6)
6 Criminal (6)
7 Retitled (anag.) (8)
11 Revealed (9)
12 Pitiful (8)
13 Turbulence (6)
14 Set in a bent position (6)
15 Unseated by a horse (6)
17 Arthur ___ : former US tennis player (4)

Across

1 Strongbox (4)
3 Came into possession of (8)
9 Terrestrial (7)
10 Cloaked (5)
11 Languor (12)
14 In what way (3)
16 Religious table (5)
17 Drink a little (3)
18 Worldly (12)
21 Inert gas (5)
22 Crime of illegally entering a house (5-2)
23 Aggressor (8)
24 Noes (anag.) (4)

Down

1 Furtive (8)
2 Eating implements (5)
4 Shed tears (3)
5 Unrestrained (12)
6 Meals (7)
7 Fathers (4)
8 Type of orchestra (12)
12 Erect (3,2)
13 Beginnings (8)
15 Hammered (7)
19 Symbol (5)
20 Main island of Indonesia (4)
22 Insect that can sting (3)

Across

1 Young male horse (4)
3 Hot and humid (8)
9 Part of a seat (7)
10 Show triumphant joy (5)
11 With a forward motion (5)
12 Former (7)
13 Pollutes (6)
15 Stop (4,2)
17 Repay (7)
18 Stringed instrument (5)
20 Happening (5)
21 Not inside (7)
22 Soak; drench (8)
23 Comedy sketch (4)

Down

1 Dull and uninteresting (13)
2 Obscurity (5)
4 Share out food sparingly (6)
5 Precondition (12)
6 Critical (7)
7 Correct to the last detail (6-7)
8 Very strong athlete (12)
14 Legal inquiry (7)
16 Expel from a country (6)
19 Artifice (5)

CROSSWORD ∽ 65

Across

1 African antelope (6)
7 Evolves (8)
8 Sheltered side (3)
9 Less fresh (of bread) (6)
10 Dove sounds (4)
11 Showered with love (5)
13 Female stage performer (7)
15 Petitions to God (7)
17 Savory jelly (5)
21 Reduce one's food intake (4)
22 Make a bubbling sound (6)
23 Goal (3)
24 Recompensed; gave a gift to (8)
25 Unless (6)

Down

1 Away from the coast (6)
2 Pester (anag.) (6)
3 Confuse (5)
4 Perform in an exaggerated manner (7)
5 Signs for public display (8)
6 Items of cutlery (6)
12 E.g. from Cairo (8)
14 Calamity (7)
16 Lifts up (6)
18 Give satisfaction (6)
19 Consign (6)
20 Assess; rank (5)

Across

1 Shows (8)
5 Steadfast (4)
8 Nasal manner of pronunciation (5)
9 Insect body segment (7)
10 Taller and thinner (7)
12 Propriety and modesty (7)
14 Long-distance postal service (7)
16 Hauled (7)
18 Vague understanding; hint (7)
19 Accustom (5)
20 Consumes food (4)
21 Understate (8)

Down

1 Tiny specks (4)
2 Unmoving (6)
3 This is seen before one hears thunder (9)
4 Annually (6)
6 Verse pentameter (6)
7 Single track for a wheeled vehicle (8)
11 Act of telling a story (9)
12 Time by which a task must be completed (8)
13 Small box (6)
14 In a slow tempo (6)
15 Real (6)
17 Depend upon (4)

Across

1 Sporting competitors (8)
5 Scent (4)
9 Member of a Nahuatl-speaking people (5)
10 Dry red wine (5)
11 Travelers in a vehicle (10)
14 Sources of illumination (6)
15 Lovers (6)
17 Sensible (2-8)
20 Cool down (5)
21 Adorn with insertions (5)
22 Get beaten (4)
23 Distinction; high status (8)

Down

1 Partly open (4)
2 Small shelters (4)
3 Bewitchingly (12)
4 Pardon (6)
6 Part of the small intestine (8)
7 Reevaluate (8)
8 Act of sending a message (12)
12 Coldly detached (8)
13 Business organizations (8)
16 Highly reactive metal (6)
18 Energy and enthusiasm (4)
19 Musical instrument (4)

CROSSWORD ∽ 68

Across

1 Fortified building (6)
7 Intoxicated person (8)
8 Pasture (3)
9 Surgical knife (6)
10 Wet with condensation (4)
11 Ski run (5)
13 Makes a journey (7)
15 Transported by hand (7)
17 Made a mistake (5)
21 Desert in China (4)
22 Groups of lions (6)
23 Conciliatory gift (3)
24 Act of forwarding to another (8)
25 Necessitate (6)

Down

1 Summon; telephone (4,2)
2 Weighing machines (6)
3 Authoritative proclamation (5)
4 Stringed instruments (7)
5 One who jumps from an airplane (8)
6 Gardening tool (6)
12 Rotary engines (8)
14 Large spotted cat (7)
16 Makes amends (6)
18 World's largest country (6)
19 Banish; eliminate (6)
20 Passage (5)

Across

1 Capital of Zimbabwe (6)
5 Auction item (3)
7 All (5)
8 Prospered (7)
9 Spin quickly (5)
10 Flying machine (8)
12 Be present at (6)
14 Defective (6)
17 Drink consumed before bed (8)
18 Large and scholarly books (5)
20 Doubter (7)
21 Stylish; smart (5)
22 Fix the result in advance (3)
23 Waste matter (6)

Down

2 One who believes God does not exist (7)
3 Showing deep and solemn respect (8)
4 Schismatic religious body (4)
5 Expressive (of music) (7)
6 Group of three novels (7)
7 Enlighten (5)
11 Soft twilled fabric (8)
12 Non-professional (7)
13 Abounding (7)
15 Melting (7)
16 ___ Elliott: US singer (5)
19 Point of an occurrence (4)

Across

1 Aromatic spice (4)
3 Exaggerated masculinity (8)
9 Wavering vocal quality (7)
10 Heavy iron tool (5)
11 Denial (12)
13 Strong cloth used to make sails (6)
15 Book of the Bible (6)
17 Diverse (12)
20 Mistake (5)
21 Fifth Greek letter (7)
22 Government by a king or queen (8)
23 Sums together (4)

Down

1 Unbranded range animal (8)
2 Compartment (5)
4 Admit openly (6)
5 Presiding female officer of a private school (12)
6 Next after sixth (7)
7 Birds of prey (4)
8 Maker (12)
12 Gifts (8)
14 Atomic particle (7)
16 Anew (6)
18 Lubricated (5)
19 Abound (4)

Across

1 Gaseous envelope of the sun (6)
7 Ability to meet liabilities (8)
8 Strong spirit (3)
9 Devices that cause motion (6)
10 Edible fat (4)
11 Rafael ___ : Spanish tennis star (5)
13 Unaccompanied musician (7)
15 Perfumed (7)
17 Put off; delay (5)
21 Second Greek letter (4)
22 Form of church prayer (6)
23 Liquid dye (3)
24 Short joke (3-5)
25 Chess piece (6)

Down

1 Box (6)
2 Hit forcefully (6)
3 Broad neck scarf (5)
4 Omission of a sound when speaking (7)
5 Thoroughly cooked (of meat) (4-4)
6 Son of Daedalus in Greek mythology (6)
12 Once every year (8)
14 Direct route (7)
16 Washes (6)
18 Traveling by air (6)
19 Spacecraft (6)
20 Long-legged wading bird (5)

Across

1 Suffers (4)
3 Supporters (8)
9 State of being very poor (7)
10 Dreadful (5)
11 Physics of movement through air (12)
14 Pouch containing a fluid (3)
16 Killer whales (5)
17 Ease into a chair (3)
18 Commensurate (12)
21 Animal (5)
22 Widens (7)
23 Come together (8)
24 Deciduous trees (4)

Down

1 The clapping of hands (8)
2 Organ (5)
4 24-hour period (3)
5 Not allowable (12)
6 Brings about (7)
7 Alone (4)
8 Highest or first position (5,2,5)
12 More pleasant (5)
13 Designers of trendy clothes (8)
15 Window furnishing (7)
19 Relating to birth (5)
20 Coalition of countries (4)
22 Excavate (3)

Across

1 Young lions (4)
3 Multistory (of a building) (4-4)
9 Comes back (7)
10 Dormant forms of insects (5)
11 Absorption (12)
13 A fine point; subtlety (6)
15 Feel sorrow for one's deeds (6)
17 Not capable of being checked (12)
20 Last Greek letter (5)
21 Shut with a bang (7)
22 Excited commotion (8)
23 Colored (4)

Down

1 Soft furnishings (8)
2 Units of computer information (5)
4 Stifle (anag.) (6)
5 Conjectural (12)
6 Beseech (7)
7 Days before major events (4)
8 Therapeutic use of fragrances (12)
12 Went along (8)
14 Curdle (7)
16 Failure; flop (6)
18 Uneven (of a surface) (5)
19 Toothed implement for the hair (4)

Across

1 Pace (4)
3 Submissive to authority (8)
9 Stands about idly (7)
10 Give a solemn oath (5)
11 Feeling let down (12)
14 Cone-shaped hat (3)
16 Ringing sound (5)
17 Realize (3)
18 Able to use both hands (12)
21 Musical note (5)
22 E.g. anger or love (7)
23 Vehicle with three wheels (8)
24 Parched (4)

Down

1 Become firm (8)
2 Gives off (5)
4 Large motor vehicle (3)
5 Destruction of bacteria (12)
6 Small holes in cloth or leather (7)
7 Become weary (4)
8 In the order given (12)
12 Small fruit used for oil (5)
13 Added salt and pepper (8)
15 River in Africa (7)
19 Willow tree (5)
20 Adjoin (4)
22 Elbow in a pipe (3)

Across

1 Contented cat sounds (5)
4 Make blissfully happy (7)
7 Make good on a debt (5)
8 Resembling a hare (8)
9 Took illegally (5)
11 Beneficiaries of wills (8)
15 Changed for another (8)
17 Wooden bars used to join draft animals together (5)
19 Vegetable (8)
20 Shade of blue (5)
21 Copy; version (7)
22 Most prominent person in a field (5)

Down

1 Branch of knowledge (9)
2 Rush around in a violent manner (7)
3 Notched like a saw (7)
4 Copper and tin alloy (6)
5 Felonies (6)
6 Fragile (5)
10 Deep and extensive learning (9)
12 Regular salary (7)
13 At minimum expense (7)
14 Capital of Lebanon (6)
16 Freshwater duck (6)
18 Seeped (5)

Across

1 Iridaceous plants (6)
5 Inform (6)
8 Furnace (4)
9 Going inside (8)
10 Currently in progress (5)
11 Spreads rumors (7)
14 Artisanship (13)
16 Mexican spirit (7)
18 Blender (5)
20 Cause resentment (8)
22 E.g. Walt Whitman (4)
23 Entreated; beseeched (6)
24 Hate (6)

Down

2 Strengthen (9)
3 Organized expression of goodwill; a farewell (4-3)
4 Ooze (4)
5 Speculative (8)
6 Gets weary (5)
7 Fish appendage (3)
12 Invaluable (9)
13 Separated (8)
15 Fragment (7)
17 Oneness (5)
19 Poke (4)
21 Spoil (3)

Across

- **1** Free from doubt (4)
- **3** Animal herder (8)
- **9** Remnant (7)
- **10** Arm joint (5)
- **11** Opposite of amateur (12)
- **14** E.g. oxygen (3)
- **16** Maladroit (5)
- **17** Seventh Greek letter (3)
- **18** Author of screenplays (12)
- **21** Evade or escape from (5)
- **22** Accommodation (7)
- **23** Campaigner (8)
- **24** Body covering (4)

Down

- **1** Blockage in a passage (8)
- **2** Broadcasting medium (5)
- **4** Headgear (3)
- **5** Absurd (12)
- **6** Hug (7)
- **7** First light (4)
- **8** Monotonously (12)
- **12** Aroma (5)
- **13** Plant used as an herb (8)
- **15** Yield (7)
- **19** Opposite of thin (5)
- **20** Fixing; make tight (4)
- **22** Ash (anag.) (3)

Across

1 Loses color (5)
4 Boats (7)
7 Turns over (5)
8 Included as part of the whole (8)
9 Went down on one knee (5)
11 Kept hidden to get a certain result (8)
15 Adult male horse (8)
17 Linear measures of three feet (5)
19 Lazy (8)
20 Of definite shape (5)
21 Giving a false impression of (7)
22 Seabird (5)

Down

1 In an angry manner (9)
2 Issue commands; prescribe (7)
3 Treatment room (7)
4 Termagant (6)
5 Thin strip of wood (6)
6 Folded back part of a coat (5)
10 Convert to another language (9)
12 Thin coating of metal (7)
13 Go wrong (7)
14 Eccentricity (6)
16 Covering a roof with thin slabs (6)
18 Residence (5)

Across

1 Novice (8)
5 Military conflicts (4)
8 Thigh bone (5)
9 Sovereign ruler (7)
10 Examining (7)
12 Plants with stinging hairs (7)
14 Shocked (7)
16 Communicate (7)
18 Form of a chemical element (7)
19 Match in performance (5)
20 Agreeably sharp (4)
21 ___ stone: means of progress (8)

Down

1 Shine (4)
2 Ploy (6)
3 Standardize (9)
4 Constructs a building (6)
6 Nimble (6)
7 Showed indifference (8)
11 Pile of refuse (9)
12 Person who writes books (8)
13 Turmoil (6)
14 State confidently (6)
15 Mud oil (anag.) (6)
17 Long and laborious work (4)

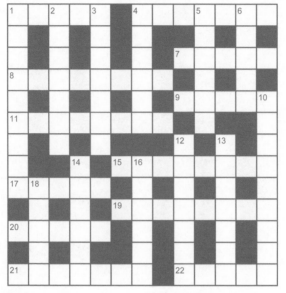

Across

1 Ahead of time (5)
4 Style of cooking (7)
7 Large woody plants (5)
8 Planned (8)
9 Moves in the wind (5)
11 Reprove (8)
15 State of the USA (8)
17 Oarsman (5)
19 Having a strong smell (8)
20 Trembling poplar (5)
21 With a side-glance (7)
22 Despised (5)

Down

1 One who approximates (9)
2 Music with a syncopated melody (7)
3 Opening the mouth wide when tired (7)
4 Leaders (6)
5 Small animals related to moles (6)
6 Destitute (5)
10 Marked; abraded (9)
12 Large extinct elephant (7)
13 Set of facts around an event (7)
14 Taxonomic categories (6)
16 Martial art (6)
18 Drives out from a position (5)

Across

1 Having a pinkish complexion (4)
3 Problems (8)
9 Less dirty (7)
10 Major artery (5)
11 In a persuasive manner (12)
13 Anticipate (6)
15 Young unmarried woman (6)
17 Perform below expectation (12)
20 Polynesian language (5)
21 Befuddle (7)
22 Impulsiveness (8)
23 Mineral gem (4)

Down

1 Rebound (8)
2 Harsh and serious in manner (5)
4 Make better (6)
5 Forcible indoctrination (12)
6 Goes around and around (7)
7 Protective crust (4)
8 Imprudence (12)
12 Wild flower (8)
14 Small cogwheels (7)
16 Political meeting (6)
18 Provide with necessary supplies (5)
19 ___ Sharif: Egyptian actor (4)

Across

1 Small cluster (5)
4 Acted frivolously (7)
7 Receptacles (5)
8 Diminished gradually in size (8)
9 Pier (5)
11 Stood about without apparent purpose (8)
15 Stand providing seating for spectators (8)
17 Imaginary spirit of the air (5)
19 Cold soup (8)
20 Governed (5)
21 Hymn or psalm sung in church (7)
22 Soft drinks (5)

Down

1 Gullible (9)
2 Rude (7)
3 Hawker (7)
4 Steal (6)
5 Faker (6)
6 Where one finds Cairo (5)
10 Annual compendiums of facts (9)
12 Pete ___ : former tennis player (7)
13 Amazed (7)
14 Seem (6)
16 Hate (6)
18 Adolescence (5)

Across

1 Place of worship (6)
5 Part of a garment (6)
8 Car (abbrev.) (4)
9 Symbols that represent numbers (8)
10 Brings distress or agitation to (5)
11 Characterized by severe self-discipline (7)
14 Duplicity (6-7)
16 Modified (7)
18 Decorate (5)
20 Baby carriage (8)
22 Rude or insensitive person (4)
23 Turned over and over (6)
24 Landmarks; spectacles (6)

Down

2 Home (9)
3 Saying (7)
4 Slender; thin (4)
5 Part of an academic year (8)
6 Strange and mysterious (5)
7 ___ Kilmer: famous actor (3)
12 Closest to the center (9)
13 Revolted (8)
15 Spotted beetle (7)
17 Go about stealthily (5)
19 Greek god of war (4)
21 Excessively (3)

Across

1 Capital of the Philippines (6)
7 Extremely thorough (8)
8 Ignited (3)
9 Trinidad and ___ : country (6)
10 Pull a sulky face (4)
11 Breadth (5)
13 Ferocious small mammals (7)
15 Timidness (7)
17 Behave amorously (5)
21 Hold; possess (4)
22 Too many to be counted (6)
23 Charged particle (3)
24 Formal midday meal (8)
25 Very difficult or complex (6)

Down

1 Free from harshness (6)
2 Tented (anag.) (6)
3 Ordered arrangement (5)
4 Shuns (7)
5 Offer of marriage (8)
6 Reciprocal (6)
12 Inclination (8)
14 Expected; taken as true (7)
16 Interruption or gap (6)
18 Charge (6)
19 Ten plus ten (6)
20 Stench (5)

Across

1 Consented (6)
4 Destroy (6)
9 Person in overall charge (7)
10 Farm vehicle (7)
11 Fleshy (5)
12 Come to a point (5)
14 Stomach (5)
15 Delicious (5)
17 Tribe (anag.) (5)
18 Person who hunts illegally (7)
20 Gets away (7)
21 Act of eating out (6)
22 Agreement or harmony (6)

Down

1 Suppose (6)
2 Substitutes (8)
3 Reflective or pensive poem (5)
5 Fine or punishment (7)
6 Kiln for drying hops (4)
7 Great fear (6)
8 Easily angered (3-8)
13 Egg-laying mammal (8)
14 Tropical cyclone (7)
15 Knocked gently (6)
16 Jail (6)
17 Cured pig meat (5)
19 Long nerve fiber (4)

Across

1 Ordered arrangements (6)
7 Abstinent from alcohol (8)
8 Sharp blow (3)
9 Flag (6)
10 ___ Pound: US poet (4)
11 Equip (5)
13 Graders (anag.) (7)
15 Mixed together (7)
17 Type of jazz (5)
21 Keep away from (4)
22 Of the eye (6)
23 Steel bar (3)
24 Sweeping (8)
25 Urge (6)

Down

1 Command solemnly (6)
2 Massaged (6)
3 Rocky (5)
4 Small fruits (7)
5 E.g. Daniel or Matthew (8)
6 Twinned (6)
12 Church musician (8)
14 Popular; common (7)
16 Exist permanently in (6)
18 Spanish-speaking quarter (6)
19 Learned person (6)
20 Form an opinion about (5)

Across

1 Large wading bird (4)
3 Situated at sea (8)
9 Slanted letters (7)
10 Distinguishing characteristic (5)
11 Genre (5)
12 Separated; remote (7)
13 Most pleasant (6)
15 Feeling of sickness (6)
17 Item-by-item report (7)
18 Plant spike (5)
20 Jeweled headdress (5)
21 Fleshy part of the organ of hearing (7)
22 Transporting (8)
23 Taylor ___ : US tennis player (4)

Down

1 Peculiar or individual (13)
2 European country (5)
4 Nameplate over the front of a shop (6)
5 Adequate (12)
6 Prophets (7)
7 Amusement (13)
8 Designed to distract (12)
14 Mythical being (7)
16 Impound during a war (6)
19 Form of oxygen (5)

Across

1 Narrow valley (4)
3 Hardy perennial plant (8)
9 Go forward (7)
10 Brilliant and clear (5)
11 Disheartening (12)
13 Hold a position or job (6)
15 Part of a motor (6)
17 Endlessly (12)
20 Tiny piece of food (5)
21 Something showing a general rule (7)
22 Intensified (8)
23 Farewells (4)

Down

1 Male relation (8)
2 Sprites (5)
4 Applauds (6)
5 Atoning avail (anag.) (12)
6 One that is poor (4-3)
7 Froth of soap and water (4)
8 Unfriendly (12)
12 Dreariness (8)
14 Sense of finality (7)
16 Cold symptom (6)
18 Overly sentimental (5)
19 Sour-tasting substance (4)

CROSSWORD ∞ 89

Across

1 People who construct things (8)
5 Lash (4)
9 Evil spirit (5)
10 Fragrant organic compound (5)
11 Destruction of the world (10)
14 Up-to-date and fashionable (6)
15 Cave (6)
17 Make inactive (10)
20 Adult insect (5)
21 Barack ___ : former US President (5)
22 Increased in size (4)
23 Convince (8)

Down

1 Listening devices (4)
2 Image of a god (4)
3 State of being in disrepair (12)
4 Remains (6)
6 Places of more than usual activity (8)
7 Supplier (8)
8 Formal announcements (12)
12 Reading carefully (8)
13 Divide (8)
16 Fly an aircraft (6)
18 Celebration; festivity (4)
19 Identical (4)

Across

1 Plant used in salads (6)
7 Introduced fluid into (the body) (8)
8 Hairpiece (3)
9 Authoritative rule (6)
10 Adolescent (abbrev.) (4)
11 Courageous (5)
13 Return to poor health (7)
15 Early Christian teacher (7)
17 Goodbye (in Spanish) (5)
21 Great delight (4)
22 Ghoulish; unhealthy (6)
23 Fairy (3)
24 Spanish dance (8)
25 Breed of dog (6)

Down

1 Stitching (6)
2 Rue doing something (6)
3 Sign of the zodiac (5)
4 Expelled (7)
5 Where one finds Glasgow (8)
6 Cuts off (6)
12 Hangs (8)
14 Holding responsible (7)
16 Post (6)
18 Undeniably; truly (6)
19 Prevent or constrain (6)
20 Sink; sag (5)

Across

1 Workplace (6)
4 Spoken address (6)
9 ___ up: summing (7)
10 Becomes less severe (7)
11 Foals (5)
12 Oozes (5)
14 Cleaning implement (5)
15 Intermediate theorem in a proof (5)
17 Deciduous coniferous tree (5)
18 Deer (7)
20 Restoration to life (7)
21 Resides (6)
22 Wears away (6)

Down

1 The science of light (6)
2 Belief all events are predetermined (8)
3 Winds into spirals (5)
5 Prepare and issue for sale (7)
6 Deserve (4)
7 Equine animals (6)
8 Science of farming (11)
13 Etched into a surface (8)
14 Rod used in weightlifting (7)
15 Fastened shut with a key (6)
16 Animal carapaces (6)
17 Intimate companion (5)
19 Loose flowing garment (4)

CROSSWORD ∽ 92

Across

1 River sediment (4)
3 Frozen food (3,5)
9 Beginner (7)
10 Kick out (5)
11 Explanatory section of a book (12)
13 Stomach crunches (3-3)
15 Graphical representation of a person (6)
17 Impossible to achieve (12)
20 E.g. a Martian (5)
21 Lost (7)
22 Irritating (8)
23 Presentation (abbrev.) (4)

Down

1 Most foolish (8)
2 Smallest quantity (5)
4 Cloud type (6)
5 Inventiveness (12)
6 Exciting action (7)
7 Temperate (4)
8 Ineptness (12)
12 Chord played in rapid succession (8)
14 Stress (7)
16 Nonordained Church member (6)
18 Newlywed (5)
19 Heroic tale (4)

Across

1 Inaccurate in pitch (3-3)
5 Type of hat (6)
8 Crafts (4)
9 Common fuel (8)
10 Fruit of the oak (5)
11 Expressed readiness to do something (7)
14 Amusement park ride (6,7)
16 Strong woven fabric (7)
18 Friendship (5)
20 The scholastic world (8)
22 Ripped (4)
23 Showing utter resignation (6)
24 Actually (6)

Down

2 Rule out an action (9)
3 Small falcon (7)
4 ___ Berra: baseball player (4)
5 Convenience meal (4,4)
6 Research deeply (5)
7 Sprinted (3)
12 Relating to the process of choosing people for public office (9)
13 Send a signal (8)
15 Large island in Indonesia (7)
17 Form of identification (5)
19 Head covering (4)
21 Male swan (3)

Across

1 Remembered (11)
9 Trample heavily (5)
10 Inquire of (3)
11 Unabridged (5)
12 Assesses performance (5)
13 A lament (8)
16 Glut (8)
18 Clenched hands (5)
21 Bank of earth that controls water (5)
22 Creeping vine (3)
23 The beginning of something (5)
24 Occurring at the same time (11)

Down

2 Connoisseur (7)
3 Driving out (7)
4 Appeared indistinctly (6)
5 Escapade (5)
6 Raise in rank (5)
7 Forged (11)
8 Very tall buildings (11)
14 Blue-veined cheese (7)
15 Recently created (7)
17 Inferior (6)
19 Cunningly (5)
20 Seemingly indifferent to emotions (5)

Across

1 Fight against (6)
4 Knocked into (6)
9 Cyclone (7)
10 The kneading of muscles and joints (7)
11 Ordinary (5)
12 Amends (5)
14 Low-value coins (5)
15 Intimidate (5)
17 Quotes (5)
18 ___ Monroe: famous actress (7)
20 Stammer (7)
21 Representation of a person (6)
22 Striped animals (6)

Down

1 Move faster than (6)
2 Lisbon's country (8)
3 Petite (5)
5 Hero of the Odyssey (7)
6 Wildcat (4)
7 Underwater swimmers (6)
8 Sound practical judgment (6,5)
13 Copycat (8)
14 Traveling by bike (7)
15 Speak in a confused way (6)
16 Egyptian god of the underworld (6)
17 Coarse (5)
19 Upper covering of a house (4)

Across

1 Small rodents (4)
3 Importance; stress (8)
9 Doubtful (7)
10 Saying (5)
11 Incomprehensibly (12)
14 Fuss or concern (3)
16 Let slacken; relax (5)
17 Hair colorant (3)
18 Clearly evident (12)
21 Reclining (5)
22 Weighing more (7)
23 Grows or intensifies (8)
24 Examine by touch (4)

Down

1 Short lyrical poem (8)
2 Having three dimensions (5)
4 Title for a married woman (3)
5 Philanthropic (12)
6 Reached an agreement about (7)
7 Display (4)
8 First language (6,6)
12 Slopes (5)
13 Delay (8)
15 Employment vacancy (7)
19 Light brown (5)
20 Leaf (anag.) (4)
22 Smack (3)

Across

1 Make more light (8)
5 Substance used for washing (4)
8 Wall painting (5)
9 Treason (anag.) (7)
10 Green gemstone (7)
12 Permitted (7)
14 Sayings (7)
16 Into parts (7)
18 Equality before the law (7)
19 Disgust (5)
20 Ditch filled with water (4)
21 First-year student (8)

Down

1 Collide with (4)
2 Country in the Middle East (6)
3 Neighborhood in Los Angeles (9)
4 Followed (6)
6 Make illegal (6)
7 Mimics humorously (8)
11 Efforts (9)
12 Tank for keeping fish (8)
13 Moon of the planet Jupiter (6)
14 Request made to God (6)
15 Division of a group (6)
17 Portent (4)

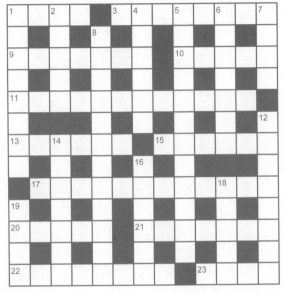

Across

1 Nasty smell (4)
3 Dissipate like vapor (8)
9 Armory (7)
10 ___ Witherspoon: actress (5)
11 Hostility (12)
13 Suddenly collapse (4-2)
15 Small hole in leather or cloth (6)
17 Not intoxicating (of a drink) (12)
20 Yellowish-brown cloth (5)
21 Brazilian dance (7)
22 Humility (8)
23 Idol (4)

Down

1 Reproduce recorded sound (4,4)
2 Of the nose (5)
4 Person who estimates the worth of something (6)
5 Short poem for children (7,5)
6 Template (7)
7 Paradise garden (4)
8 Total destruction (12)
12 Abrupt; disjointed (8)
14 Break a rule (7)
16 Rebukes angrily (6)
18 Exit (5)
19 Read quickly (4)

Across

1 Lacking confidence (8)
5 Short tail (4)
9 Word of farewell (5)
10 Happen (5)
11 Plans of action (10)
14 Continuously (6)
15 Colorless flammable gas (6)
17 Unplug (10)
20 ___ Dushku: US actress (5)
21 Pinch; squeeze (5)
22 Take a breath (4)
23 Chinese language (8)

Down

1 ___ Lendl: former tennis number one (4)
2 Drink greedily (4)
3 Female fellow national (12)
4 Warm again (6)
6 Recurrent (8)
7 Beat easily (8)
8 Tamed (12)
12 Lack of hair (8)
13 Winding strands about each other (8)
16 Deficiency of red blood cells (6)
18 Period of 365 days (4)
19 Related by blood (4)

Across

1 Correct to the last detail (4-7)
9 Previous name of Myanmar (5)
10 21st Greek letter (3)
11 ___ Blair: US actress (5)
12 Preliminary sketch or version (5)
13 Merciless (8)
16 Fugitives (8)
18 Building tops (5)
21 Light downy particles (5)
22 Foodstuff (3)
23 Individual piece of snow (5)
24 Denizens (11)

Down

2 Mercantile establishments (7)
3 Fiasco (7)
4 Exit (6)
5 Criminal deception (5)
6 Dried coconut meat (5)
7 Not held up (11)
8 Suspicious (11)
14 Crisp plain fabric (7)
15 Legacy (7)
17 Adventurous expedition (6)
19 Church instrument (5)
20 Capital of Bulgaria (5)

Across

1 Abominable snowman (4)
3 Consisting of fine particles (8)
9 Cautious (7)
10 Impudent; cheeky (5)
11 Accepted behavior whilst dining (5,7)
13 Local inhabitant (6)
15 ___ Williams: tennis star (6)
17 Reticent; secretive (12)
20 Select group (5)
21 Noisiest (7)
22 Something used to bind (8)
23 Lowest adult male singing voice (4)

Down

1 Boating (8)
2 Palpitate (5)
4 Worker who produces petroleum (6)
5 Insincere (12)
6 Rise again (7)
7 Periods of 24 hours (4)
8 Bubbling (12)
12 Official orders (8)
14 Leaning at an angle (7)
16 Saunterer (6)
18 African mammal (5)
19 Narrate (4)

Across

1 Silly (5)
4 Brushed the coat of (an animal) (7)
7 Sumptuous meal (5)
8 Interfering (8)
9 Slip (5)
11 Split apart (8)
15 Loose-fitting protective garment (8)
17 Rounded projections (5)
19 Puts up with (8)
20 Religious book (5)
21 Participant (7)
22 Powerful forward movement (5)

Down

1 Act of getting rid of (9)
2 Ceasing trading (7)
3 Gave way to pressure (7)
4 Grime or dirt (6)
5 Frankly (6)
6 Became less severe (5)
10 Catering for a select few (9)
12 Recluses (7)
13 Person who breeds pigeons (7)
14 Vendor (6)
16 Deceive with ingenuity (6)
18 Edible bulb (5)

Across

1 Ring of light around the head (4)
3 Draws quickly (8)
9 Clearly (7)
10 Move slowly (5)
11 Vertical part of a step (5)
12 Loss of memory (7)
13 Having happened not long ago (6)
15 Mixes together (6)
17 Severe suffering (7)
18 Donor (5)
20 South American country (5)
21 Distant runner-up in a horse race (4-3)
22 Finding (8)
23 Richard ___ : Hollywood star (4)

Down

1 Excessively negative about (13)
2 Large indefinite quantities (5)
4 Input device (6)
5 Scientist or engineer (12)
6 Become husky (of a voice) (7)
7 Confidence in one's abilities (4-9)
8 Action of breaking a law (12)
14 Pertaining to the heart (7)
16 Stress; pull a muscle (6)
19 Stanza of a poem (5)

Across

1 Having pains (4)
3 Absurd (8)
9 Merit (7)
10 Standards (5)
11 Ate too much (12)
14 Man's best friend (3)
16 Leaves (5)
17 Definite article (3)
18 Not excusable (12)
21 Concerning (5)
22 Firm opinions (7)
23 A period of 366 days (4,4)
24 Begin to drill an oil well (4)

Down

1 Robots (8)
2 Swiftness or speed (5)
4 Era (anag.) (3)
5 Decisively (12)
6 Make right (7)
7 Be at a ___ : be puzzled (4)
8 Laudatory (12)
12 Performing a deed (5)
13 Freed from captivity (8)
15 Venetian boat (7)
19 Short high-pitched tone (5)
20 Entrance corridor (4)
22 Bleat of a sheep (3)

Across

1 Seizing (8)
5 Eighth of a fluid ounce (4)
9 Collection of maps (5)
10 Country in the Himalayas (5)
11 Disloyalty (10)
14 Idle; futile; functionless (6)
15 Lizard (6)
17 Soft textile covering (10)
20 Verge (5)
21 Ooze out (5)
22 States (4)
23 Trouble maker (8)

Down

1 Hardy ruminant mammal (4)
2 Capably (4)
3 Having an efficient approach to one's work (12)
4 Scandinavian (6)
6 Act of retaliation (8)
7 Our galaxy (5,3)
8 Item of clothing worn beneath other clothing (12)
12 Famous navigator (8)
13 Vigorously; powerfully (8)
16 Powerful; tough (6)
18 Crave (4)
19 Listen to (4)

Across

1 Depressing (6)
4 Play boisterously (6)
9 Salad vegetable (7)
10 Lacking depth (7)
11 Traveled on snow runners (5)
12 Words that identify things (5)
14 Sediment (5)
15 Machine for shaping metal or wood (5)
17 The papal court (5)
18 Childbirth assistant (7)
20 Originality (7)
21 Monks live in these (6)
22 Unjust (6)

Down

1 Waterproof overshoe (6)
2 Complete (8)
3 Rounded mass (5)
5 Gets back (7)
6 Quieten down (4)
7 Large groups of people (6)
8 Radiant; sumptuous (11)
13 E.g. sunshade or parasol (8)
14 Mischief (7)
15 Thin plate (6)
16 Woodcutter (6)
17 Assembly of witches (5)
19 Spread clumsily on a surface (4)

Across

1 Artificial waterway (5)
4 Squabbling (7)
7 Cooks slowly in liquid (5)
8 Dwindling (8)
9 Wears (5)
11 Musical instrument with wire strings (8)
15 A desert in southern Africa (8)
17 Garments (5)
19 Stop doing something (5,3)
20 Burning (5)
21 Groups (7)
22 Covered the inside of a bin (5)

Down

1 Entrusting a secret to someone (9)
2 Newsworthy (7)
3 Listless (7)
4 Geneva (anag.) (6)
5 Improvement (6)
6 Recently (5)
10 Contented (9)
12 Cry expressing disapproval (7)
13 Wool grease (7)
14 Growls (6)
16 Declares invalid (6)
18 Trimmings of meat (5)

Across

1 Still existing (6)
4 Roof of the mouth (6)
9 Martial art (7)
10 Settled in advance (of mail charges) (7)
11 Resay (anag.) (5)
12 Model figures used as toys (5)
14 Indistinctly (5)
15 One-way flow structure (5)
17 Speck of food (5)
18 Defensive structure (7)
20 E.g. hydrogen or carbon (7)
21 Of inferior quality (6)
22 Semiaquatic fish-eating mammals (6)

Down

1 Relishes (6)
2 Beautiful mausoleum at Agra (3,5)
3 Brief records of information (5)
5 Before or by now (7)
6 Surrounding glow (4)
7 Gets away (6)
8 Large retail store (11)
13 Vocabulary of the law (8)
14 Removed from office forcefully (7)
15 Bowed string instruments (6)
16 Joins together (6)
17 Big (5)
19 Benicio del ___ : actor (4)

Across

1 Kernel's hard surrounding (8)
5 ___ Minnelli: US actress (4)
9 Sweet tropical fruit (5)
10 Not at all (5)
11 State of extreme hunger (10)
14 Intelligent (6)
15 Hold fast (6)
17 Tropical evergreen tree (10)
20 Large crow (5)
21 Capital of Japan (5)
22 Carbonated drink (4)
23 Abstract ideas (8)

Down

1 Nearly; almost (4)
2 Confine; snare (4)
3 Very upsetting (12)
4 Revels (anag.) (6)
6 Financial statements (8)
7 Put in order (8)
8 Unfriendly (12)
12 Floating masses of frozen water (8)
13 Merited (8)
16 Mustang (6)
18 Bypass (4)
19 Troubles (4)

Across

1 Breathe out (6)
7 Disappears (8)
8 Knock vigorously (3)
9 Involuntary spasm (6)
10 Every (4)
11 Lukewarm (5)
13 Trickle (7)
15 More saccharine (7)
17 Type of cap (5)
21 Norse god (4)
22 Respect and admiration (6)
23 Possess (3)
24 Spend time in an inactive way (8)
25 Respire with difficulty (6)

Down

1 Implant deeply (6)
2 Type of music (3-3)
3 Expel from a property (5)
4 Motivate a person (7)
5 Bring together (8)
6 Writing implement (6)
12 Lists (8)
14 More than two but not many (7)
16 Stiff and stilted (6)
18 Far away (6)
19 Half-conscious state (6)
20 Spread by scattering (5)

Across

1 On top of (4)
3 Daydreaming; distraction from reality (8)
9 Falling inflection of the voice (7)
10 Combines (5)
11 Jollity (5)
12 Tall stand that supports a book (7)
13 Salem's state (6)
15 One under par in golf (6)
17 Circus apparatus (7)
18 Pond-dwelling amphibians (5)
20 Slow down (5)
21 Decorative style of the 1920s and 1930s (3,4)
22 Ultimate (8)
23 Pair (4)

Down

1 Uneasy (13)
2 Command (5)
4 Thieves (6)
5 Loving (12)
6 In the place of (7)
7 Misinterpreted (13)
8 Installation of a monarch (12)
14 Issue forth (7)
16 Where one finds Carson City (6)
19 Tearful (5)

Across

1 Type of brandy (6)
4 Maples (anag.) (6)
9 Expecting prices to fall (7)
10 Freezing (3-4)
11 Goes through carefully (5)
12 Satisfied a desire (5)
14 Conical tent (5)
15 Bring together (5)
17 Exhibited (5)
18 Italian fast racing car (7)
20 Woes (7)
21 Most recent (6)
22 Moved back and forth (6)

Down

1 Artist such as Picasso or Braque (6)
2 Unauthorized writing on walls (8)
3 Sour substances (5)
5 In an opposing direction (7)
6 Water ___ : game (4)
7 Displayed freely (6)
8 Foot specialist (11)
13 Science of classification (8)
14 Dictators (7)
15 Unfold (6)
16 In mint condition (6)
17 Small insectivorous mammal (5)
19 A flat float (4)

Across

1 E.g. a lemon or lime (6,5)
9 Juicy fruit (5)
10 Limb used for walking (3)
11 Eighth Greek letter (5)
12 Absorbent cloth (5)
13 Vertical flues (8)
16 Calmness under pressure (8)
18 Flower part (5)
21 Ironic metaphor (5)
22 Sprite (3)
23 Small bottles (5)
24 Stargazers (11)

Down

2 Endanger (7)
3 Leftovers (7)
4 Day of rest (6)
5 Settle for sleep (of birds) (5)
6 Relation by marriage (2-3)
7 Causing sudden upheaval (11)
8 Eternity (11)
14 Floating wreckage of a ship (7)
15 Deciphering machine (7)
17 Confer holy orders on (6)
19 Long tubes (5)
20 Rod ___ : Australian tennis player (5)

Across

1 Moves slowly and aimlessly (6)
4 One who makes beer (6)
9 Very large drums (7)
10 Wanting (7)
11 Openings for air; outlets (5)
12 Beneath (5)
14 Feathered creatures (5)
15 Recipient of money (5)
17 Earlier (5)
18 Obstruction (7)
20 Collided violently (7)
21 Reveal (6)
22 Sounds (6)

Down

1 Grammatical case (6)
2 Exemption (8)
3 Ensnares (5)
5 Loud and hoarse (7)
6 Wireless transmission of data (2-2)
7 Erring (anag.) (6)
8 Tree with distinctive bark (6,5)
13 Pleases immensely (8)
14 In addition to (7)
15 Small stone (6)
16 Women who are about to marry (6)
17 Musical instrument (5)
19 Inclined plane (4)

Across

1 Male sheep (pl.) (4)
3 Took in (8)
9 Inside a building (7)
10 Leaves out (5)
11 Loud metallic sound (5)
12 Responded to (7)
13 Material wealth (6)
15 Wine shop (6)
17 Ancient large storage jar (7)
18 Group or set of eight (5)
20 Cake decoration (5)
21 Cutting into pieces (7)
22 Disregards (8)
23 Developed; matured (4)

Down

1 Rebirth in a new body (13)
2 Means of mass communication (5)
4 Small restaurant (6)
5 Use of words that mimic sounds (12)
6 Stiff coarse hair (7)
7 Deprived (13)
8 Style of blues (6-6)
14 Imitating (7)
16 Breed of hound (6)
19 Fastening together with string (5)

Across

1 Call to mind; quote (4)
3 Structured set of information (8)
9 Derision (7)
10 Old-fashioned (5)
11 Science of space travel (12)
13 Oily (6)
15 Light spongy food (6)
17 Renditions (12)
20 Pertaining to the ear (5)
21 Space probe to Jupiter (7)
22 Recently married person (8)
23 A single time (4)

Down

1 Crusade (8)
2 Implied (5)
4 Regardless (6)
5 And also (12)
6 Seeks to hurt (7)
7 Finishes (4)
8 Regretfully (12)
12 Land adjacent to the ocean (8)
14 Facial hair (7)
16 Strong outdoor shoe (6)
18 Large intestine (5)
19 Farm building (4)

CROSSWORD ∼ 117

Across

1 Small body of gas within a liquid (6)
7 Violently attacking (a building) (8)
8 Evergreen tree (3)
9 Pour from one container to another (6)
10 Soup (anag.) (4)
11 Gives temporarily (5)
13 Military missions (7)
15 View or judgment (7)
17 Summed together (5)
21 Wagon running on rails (4)
22 Groups of eight (6)
23 Sound of a cow (3)
24 Seven-sided polygon (8)
25 Small tool for boring holes (6)

Down

1 Pollute (6)
2 Heavy load (6)
3 Short literary composition (5)
4 Ballroom dance (7)
5 Brought into a country (8)
6 Steep in liquid (6)
12 Explosive (8)
14 Administrative division (7)
16 Separated (6)
18 Dreary (6)
19 Pious (6)
20 E.g. hurt by a wasp (5)

Across

1 Confronts; deals with (5)
4 Quickly (7)
7 Red cosmetic (5)
8 Senseless (8)
9 Projecting horizontal ledge (5)
11 Guiding principle (8)
15 Revolving quickly (8)
17 Overhangs on roofs (5)
19 Reserved (8)
20 Works one's trade steadily (5)
21 Puzzle (7)
22 Parasitic arachnids (5)

Down

1 Create methodically (9)
2 Poison (7)
3 Least fresh (of food) (7)
4 Afternoon sleep (6)
5 Bubbles (6)
6 Allowed by law (5)
10 Scares (9)
12 Clear perception (7)
13 Relating to motion (7)
14 Take as an affront (6)
16 Lots of (6)
18 Metallic compound (5)

Across

1 Building for horses (6)
5 Part of a dress (6)
8 Dull; lacking interest (4)
9 Desserts (8)
10 Gastropod with a shell (5)
11 Imitator (7)
14 Self-confident and commanding (13)
16 Negative terminal of an electrolytic cell (7)
18 Series of vertebrae (5)
20 Common source of discomfort (8)
22 Large white bird (4)
23 Composite of different species (6)
24 Foam (6)

Down

2 Large hairy spider (9)
3 Infantile (7)
4 Exhibition (abbrev.) (4)
5 Criticize severely (3-5)
6 Garden flower (5)
7 Toothed wheel (3)
12 Benefit (9)
13 Yielded (8)
15 Prepare for printing (7)
17 Foot traveler (5)
19 Become healthy again (4)
21 Nay (anag.) (3)

Across

1 Nitrous oxide (8,3)
9 Unsuitable (5)
10 Container (3)
11 Worked steadily at (5)
12 Rides waves (5)
13 Electric passenger cars (8)
16 Fatherly (8)
18 Permit (5)
21 Collection of ships (5)
22 Hearing organ (3)
23 Coral reef (5)
24 Pretentious display (11)

Down

2 Fruit (7)
3 Garishly (7)
4 State of extreme dishonor (6)
5 Entrance barriers (5)
6 Plant framework (5)
7 Returned to the country of origin (11)
8 Rigid external body covering (11)
14 Pamphlet (7)
15 Endure (7)
17 Using maximum effort (3-3)
19 People with authority over others (5)
20 Large marine mammal (5)

CROSSWORD ~ 121

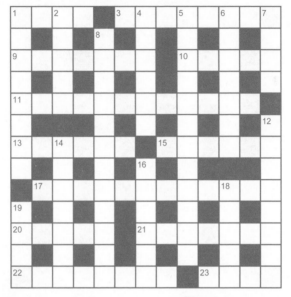

Across

1 Cries (4)
3 Eating by taking small bites (8)
9 Dark pigment in skin (7)
10 Behaved (5)
11 Awe-inspiring (12)
13 Boring (6)
15 Uncover (6)
17 Item with 64 squares several games are played on (12)
20 Line segments in circles (5)
21 ___ down: apply oneself to a task (7)
22 Passenger (8)
23 Wane (anag.) (4)

Down

1 An unspecified person (8)
2 Attractive young lady (5)
4 Cause to start burning (6)
5 Badly bruised (5-3-4)
6 Ardent (7)
7 Deities (4)
8 Ugly (12)
12 Short heavy club (8)
14 Spiny-coated monotreme mammal (7)
16 Shout down; harass (6)
18 Foot joint (5)
19 Worry about (4)

Across

1 Absolute ruler (8)
5 Ostrichlike bird (4)
9 Teach (5)
10 Fourth month (5)
11 Intended to be used once (10)
14 Chamber of the heart (6)
15 Good luck charm (6)
17 Small amount (10)
20 Enthusiasm (5)
21 Loose fiber (5)
22 Flat circular plate (4)
23 Exercises authority (8)

Down

1 Singing voice (4)
2 Type of wood (4)
3 Extension (12)
4 Consent to receive (6)
6 Perennial plant (8)
7 Illnesses (8)
8 Penny-pinching (12)
12 Rubbed with the hands (8)
13 Little Rock's state (8)
16 Storage compartment (6)
18 Slide (4)
19 Flightless birds (4)

Across

1 Wonderful (8)
5 Hold tightly (4)
8 Bolt for fastening metal plates (5)
9 Unwanted (7)
10 Angers (7)
12 Alfresco (4-3)
14 Intoxicating liquor (7)
16 Without help (7)
18 Type of bill (7)
19 First Pope (5)
20 Mend with rows of stitches (4)
21 Masonry support (8)

Down

1 Ride the waves (4)
2 Guidance (6)
3 Reckless (9)
4 Not masculine or feminine (6)
6 Destroy (6)
7 Base of a statue (8)
11 Item laid on the ground to welcome famous visitors (3,6)
12 Busy (8)
13 Sculptor (6)
14 Word that qualifies another (6)
15 Jostle (6)
17 Moderately fast gait of a horse (4)

Across

1 Money as coins or notes (4)

3 Powerful cutting tool (5,3)

9 Halfway point of a period of office (7)

10 Friends (5)

11 Intuitively designed (of a system) (4-8)

14 Consume food (3)

16 ___ Els: golfer (5)

17 Female pronoun (3)

18 Building (12)

21 Undo; loosen (5)

22 Frequently visited place (7)

23 Organism that exploits another (8)

24 Someone who colors cloth (4)

Down

1 One who travels to work regularly (8)

2 Bog plant (5)

4 Bustle (3)

5 Radiant (12)

6 Make a sucking sound (7)

7 Cleanse (4)

8 Altruism (12)

12 John ___ : US tennis player (5)

13 Less dark (8)

15 Pig's foot (7)

19 Creamy-white substance (5)

20 Cut of beef (4)

22 Small shelter (3)

Across

1 Long and thin piece of wood (4)
3 Neck injury (8)
9 Wealthiest (7)
10 Rustic (5)
11 Prologue (abbrev.) (5)
12 Late (7)
13 Make modern (6)
15 A borough of New York City (6)
17 Sport with arrows (7)
18 Follow the position of (5)
20 Suffuse with color (5)
21 Person who keeps watch (7)
22 Christmas season (8)
23 Rage (anag.) (4)

Down

1 Attentiveness to detail (13)
2 Lawful (5)
4 Frankfurter served in a roll (3,3)
5 Prolongation (12)
6 Shorten (7)
7 In a haphazard manner (6-7)
8 Cowardly action; shameful (5,3,4)
14 Unit of sound intensity (7)
16 Rode a bike (6)
19 Worship (5)

Across

1 Conflict (6)

4 Cord (6)

9 Sharp snapping sound (7)

10 Sum of money put in the bank (7)

11 Prodded (5)

12 Stage setting (5)

14 ___ acid: protein building block (5)

15 Promotional wording (5)

17 Tennis score (5)

18 Cheat; con (7)

20 Windhoek's country (7)

21 However (6)

22 Standards of perfection (6)

Down

1 Arm muscle (6)

2 Expression of gratitude (5,3)

3 Found agreeable (5)

5 Underwater projectile (7)

6 Charged particles (4)

7 Device for shredding food (6)

8 Act of harassing someone (11)

13 Capital of South Carolina (8)

14 Enduring (7)

15 Split into two (6)

16 Decomposes (6)

17 Vaulted (5)

19 Knowledge (abbrev.) (4)

CROSSWORD ∽ 127

Across

1 Person after whom a discovery is named (6)
5 Support; help (6)
8 ___ Barrymore: Hollywood actress (4)
9 Provoking (8)
10 Smoke passages (5)
11 Repulsive (7)
14 Designed for military operations abroad (13)
16 Eccentricity (7)
18 Personnel at work (5)
20 Dilapidated (8)
22 Climbing plant (4)
23 Harsh (6)
24 Next to (6)

Down

2 Bewildered (9)
3 Not in any place (7)
4 Growth of long hair (4)
5 Appetizing drink (8)
6 Find the answer (5)
7 Violate a law of God (3)
12 Coarse (9)
13 ___ Verdi: composer (8)
15 Indigenous people (7)
17 Boldness (5)
19 Remnant of a pencil (4)
21 Organ of sight (3)

Across

1 Obstacle; barrier (11)
9 Higher (5)
10 Small spot (3)
11 Largely aquatic carnivorous mammal (5)
12 Show indifference with the shoulders (5)
13 Married men (8)
16 Dweller (8)
18 Wished (5)
21 Hurled (5)
22 Be in debt (3)
23 First Greek letter (5)
24 Deliberate (11)

Down

2 Of the United Kingdom (7)
3 Uma ___ : US actress (7)
4 Like voluntary work (6)
5 Covers with soil bound by grass (5)
6 Stranger (5)
7 Community with a common interest (11)
8 Fear in front of an audience (5,6)
14 Heavily built wild ox (7)
15 Small detail (7)
17 Floor covering (6)
19 Smooth; groom (5)
20 Male duck (5)

Across

1 Optimistic (6)
5 Popular holiday destination (6)
8 ___ Campbell: Canadian actress (4)
9 Edible snail (8)
10 Animal skins; hurls (5)
11 River in Africa (7)
14 Exaggeration (13)
16 Declare to be true (7)
18 Elegance; class (5)
20 Roughly rectangular (8)
22 Child's bed (4)
23 Oar (6)
24 Absorbent material (6)

Down

2 Prevented from decaying (9)
3 Firearm mechanism (7)
4 Woody plant (4)
5 Takings (8)
6 Deprive of possessions (5)
7 ___ de Janeiro: Brazilian city (3)
12 Getting anxious (9)
13 Stop progressing (8)
15 Country in northwestern Africa (7)
17 Reversed (5)
19 Chickens (4)
21 ___ Thurman: actress (3)

Across

1 Home for a bird (4)
3 Study the night sky (8)
9 Fuzzy (7)
10 Vertical spars for sails (5)
11 Donate fairly (anag.) (12)
13 Erase a mark from a surface (6)
15 Emperor of Japan (6)
17 Long essay (12)
20 Vietnamese capital (5)
21 Kind of West Indian music (7)
22 Bouquets (8)
23 Agitate a liquid (4)

Down

1 People of no influence (8)
2 Cram (5)
4 Choice morsel of food (6)
5 Amorously (12)
6 European country (7)
7 Compass point (4)
8 Airing a TV program (12)
12 A heavy rain (8)
14 Buddies (7)
16 Difficult (6)
18 Data entered (5)
19 At that time (4)

Across

1 Astronomer who studies the origin of the universe (11)
9 Protective garment (5)
10 Make less bright (3)
11 Concealing garments (5)
12 Weapon with a blade (5)
13 Emitted a jet of liquid (8)
16 Musical interval of half a step (8)
18 Rotates (5)
21 Compact (5)
22 At the present time (3)
23 Component parts (5)
24 Use of the "-" symbol (11)

Down

2 Easily seen (7)
3 Ascertain dimensions (7)
4 Immature insects (6)
5 Mobs (5)
6 Move sideways (5)
7 Highly destructive (11)
8 A change for the better (11)
14 Particular way of thinking (4-3)
15 Unnamed person or thing (2-3-2)
17 Badge of office (6)
19 Raucous (5)
20 Opposite of north (5)

Across

1 Insurrection (6)
4 Declared (6)
9 Colonnade or covered ambulatory (7)
10 ___ Portman: actress (7)
11 Representative (5)
12 Phantasm (5)
14 Scorch (5)
15 Take part in combat (5)
17 Opposite of true (5)
18 Country in Africa (7)
20 Found out (7)
21 Intense beams of light (6)
22 Fixed (6)

Down

1 Sample (anag.) (6)
2 Prospering (8)
3 Clamorous (5)
5 Year in which wine was produced (7)
6 In a good way (4)
7 Dispirit (6)
8 All the time (11)
13 Gave a summary of (8)
14 Walk with difficulty (7)
15 Involving financial matters (6)
16 Removed unwanted plants (6)
17 Body of burning gas (5)
19 Fishing traps (4)

SOLUTIONS

CROSSWORD ~ 1

```
W I P E . C A U S A L L Y
I . A . F . S . T . O . A
L O T I O N S . R O G E R
D . I . R . . A . I . N .
F R O N T I S P I E C E .
O . . H . A . G . A . O .
W A R . R O U G H . L U X
L . O . I . N . T . . . Y
. B U R G L A R A L A R M
A . N . H . . . W . B . O
C A D E T . C H A M B E R
H . U . L . A . Y . O . O
E M P T Y I N G . S T U N
```

CROSSWORD ~ 2

```
D O E R S . S P E C I A L
E . V . U . C . L . I . .
S A B . R . H E R D S . .
I N C I S I O N . R . E .
C . U . O . L . M I N D S
C R E D I B L E . C . T .
A . E . L . . U . E . R .
N . I . . T A S M A N I A
T H I N S . V . P . L . N
. I . L . R E T I R I N G
S T E A L . R . R . V . E
. C . Y . T . E . E . R .
C H A S S I S . S E N D S
```

CROSSWORD ~ 3

```
O N U S . C O N C E R T O
R . N . D . D . O . E . N
T R I R E M E . N I P P Y
H . T . T . . V . L . X .
O V E R E M P H A S I S .
D . R . R . L . C . B . .
O W L . M A I N E . A L I
X . A . I . S . S . C . .
. E C O N O M I C A L L Y
S . Q . A . . E . O . C .
T H U M B . R E N E W A L
E . E . L . O . T . E . E
M A R K E T E R . O R B S
```

CROSSWORD ~ 4

```
I R O N . S T A R T I N G
R . P . O . O . E . N . R
R A I N B O W . M A G M A
E . N . S . E . U . R . C
S I E G E . L I N K A G E
P . R . S . E . I . L . .
O C T A V E . O R A N G E
N . S . A . H . A . S . .
S C U T T L E . T A K E S
I . N . I . N . I . I . N
B R A V O . R E V O L V E
L . M . N . Y . E . O . S
E M I S S I V E . I S I S
```

CROSSWORD ~ 5

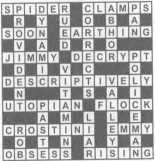

```
S P I D E R . C L A M P S
. R . Y . U . O . B . A .
S O O N . E A R T H I N G
. V . A . D . R . O . . .
J I M M Y . D E C R Y P T
. D . I . V . C . . O . .
D E S C R I P T I V E L Y
. N . . T . S . A . I . .
U T O P I A N . F L O C K
. A . M . L . L . E . . .
C R O S T I N I . E M M Y
O . T . N . A . Y . A . .
O B S E S S . R I S I N G
```

CROSSWORD ~ 6

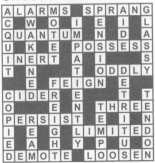

```
A L A R M S . S P R A N G
C . W . O . I . E . I . L
Q U A N T U M . N . D . A
U . K . E . P O S S E S S
I N E R T . A . I . . . S
T . N . T . . O D D L Y .
. E . F E I G N . E . . .
C I D E R . E . . T . T .
O . E . N . . T H R E E .
P E R S I S T . E . I . N
I . E . G . L I M I T E D
E . A . H . Y . P . U . O
D E M O T E . L O O S E N
```

139

CROSSWORD ⏤ 7

```
A B R A S I V E . C H E W
G O . I . E . D . I . O
U N A R M . N . I D L E R
E . D . I . I . S . A . R
. . . B L A C K B E R R Y
A . E . A . E . E . I . I
R E F E R S . G L U T E N
A . F . I . T . I . Y . G
C O L D T U R K E Y . . .
H . U . I . O . V . S . O
N I E C E . I . I T E M S
I . N . S . K . N . A . L
D U T Y . K A N G A R O O
```

CROSSWORD ⏤ 8

```
A L S O . A V O I D I N G
C . T . C . E . M . N . O
C R A D L E S . M A C R O
O . N . O . T . E . L . D
M I D S T . E L A T I O N
M . . H . D . S . N . A .
O R A T E D . R U P E R T
D . F . S . S . R . . U .
A I R S H I P . A M O U R
T . I . O . A . B . G . E
I N C U R . C O L O R E D
O . A . S . E . E . E . L
N O N S E N S E . E S P Y
```

CROSSWORD ⏤ 9

```
M U S H . O B S E S S E D
U . C . D . U . C . E . I
T O U R I S T . C O M I C
T . L . A . . E . I . E .
E N L I G H T E N I N G .
R . . R . I . T . A . P .
E F T . A U G U R . R H O
D . R . M . H . I . . L .
. D O G M A T I C A L L Y
S . U . A . . I . A . G .
H A B I T . R E T S I N A
O . L . I . A . Y . R . M
O V E R C A M E . E D G Y
```

CROSSWORD ⏤ 10

```
C H O R D A T E . E P I C
R . N . I . R . . H . A .
O P E R A . O U T D O O R
P . W . G . J . . T . R .
. A . N . A N C H O V Y .
L A Y D O W N . O . N . O
E . . S . . N . . U .
A . A . I . U P S W E P T
R E S I S T S . T . X .
N . H . . A . A . I . T
I R O N I N G . B I L G E
N . R . . E . L . E . A
G O E S . A S S E S S O R
```

CROSSWORD ⏤ 11

```
O R A L . I S O M E T R Y
R . B . R . Q . E . I . U
C H A T E A U . L O C A L
H . C . P . A . O . K . E
A C K N O W L E D G E D .
R . . S . L . R . T . P .
D E P O S E . T A S S E L
S . R . E . F . M . . A .
. C O N S U L T A T I O N
A . S . S . O . T . M . K
C A P R I . W H I P P E T
E . E . O . E . C . L . O
S E R E N A D E . C Y A N
```

CROSSWORD ⏤ 12

```
A R C H . S W E E P I N G
R . O . C . A . L . M . U
T E N D O N S . E M P T Y
I . I . L . C . I . . S
F A C I L I T A T I O N .
I . . A . E . R . U . L
C O L . B A N J O . S P A
E . O . O . T . P . . R
. O V E R W H E L M I N G
I . A . A . . A . S . E
D E B I T . D E T E S T S
L . L . O . E . E . U . S
E Y E B R O W S . M E T E
```

CROSSWORD ~ 13

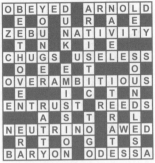

```
O B E Y E D   A R N O L D
  E   O   U   R   A   E
Z E B U   N A T I V I T Y
  T   N   K   I   E
C H U G S   U S E L E S S
  O   E   E   T     O
O V E R A M B I T I O U S
  E   I   C   T   N
E N T R U S T   R E E D S
    A   S   T   R   L
N E U T R I N O   A W E D
  R   T   O   G   T   S
B A R Y O N   O D E S S A
```

CROSSWORD ~ 14

```
P L A S M A   U   P   E
I   B     V E T E R A N S
A N A     A   T   I   T
Z   T H R I V E   S H I P
Z E   E   L   R   O   R
A L D E R   M E A N D E R
    V   B   R   E
U S U A L L Y   B R I B E
  T   L   O   D   M   A
U R D U   S T E P U P   S
  I   A   S   I     A L E
E D I T I O N S     R   L
  E   E   M   M O U T H S
```

CROSSWORD ~ 15

```
I N V A D E     A   S A W
  O   R   A D M I T   E
I S S U I N G   M   E   A
  T   Z   E   O X L I P
F R E E Z I N G   L   O
  I   L   T   W A   N
F L A K E S   W H I R L S
L   V   D   E   E   O
O   E   E V E N I N G S
C A R E T   E   E   G
K   T   E   R E V E R I E
E   E X A C T   E   N
D U D   L   T R O U G H
```

CROSSWORD ~ 16

```
D R A G O N   A R C A N E
E   L   D   U   E   X   N
B U F F O O N   L   E   T
T   R   R   D W I N D L E
O V E N S   E   E     R
R   S     S   F O C U S
    C   V E I N S   L
G L O V E   R     I   S
I     R   A   M A N I A
B A T H T U B   O   C   D
B   H   I   L A U G H E D
O   O   G   E   S   E   E
N A R R O W   L E B R O N
```

CROSSWORD ~ 17

```
R A B I D   I N T R U D E
E   O   U   M     O   R
P   N   R   P   B O G U S
O P E R A T E S   M   G
R   D   B   D   B E A S T
T H R I L L E D   R   R
I   Y   E     W   F   A
N     I   O P T I C I A N
G R A S S   L   L   C   S
  A   S   T A B L E T O P
S C O U T   C   I   I   O
  E   E   E   N   V   R
B R I D G E S   G U E S T
```

CROSSWORD ~ 18

```
P U F F   D I L I G E N T
O   L   A   L   N   N   A
S T O I C A L   C A V E S
T   U   H     O   E   K
P E R S I S T E N T L Y
O     E   A   S   O   S
N E W   V A L U E   P E T
E   H   E   O   Q     R
  C O M M E N S U R A T E
I   E   E     E   N   N
D I V A N   H A N D I N G
E   E   T   U   T   O   T
A R R E S T E D   I N C H
```

CROSSWORD ∽ 19

```
H E L D   A G N O S T I C
A   U   A   L   V   A   H
L I N D S A Y   E M B E R
L   C   T   P   R   L   Y
U S H E R   H E A T E R S
C   O   S   B   A   A
I N S U L T   A U B U R N
N   E   O   E   N     T
A V E N G E D   D E P T H
T   S   I   I   A   L E
I S A A C   S U N B E A M
O   W   A   O   T   A   U
N E S T L I N G   A D A M
```

CROSSWORD ∽ 20

```
  M I N D B L O W I N G
R   N   U   I   O   U   A
O   S   C A N T O   R I P
C R U S T   I   D   S   P
K   R   I   N   S H E E R
T H E O L O G Y       O
H   R   E     H   A   P
E     S T R E A M E R
B U G L E   O   A   M   I
O   E   T   W   V I O L A
A C T   H E A V E   N   T
T   U   E   R   N   I   E
  A P H R O D I S I A C
```

CROSSWORD ∽ 21

```
L E A S E S   E L B O W S
  G   P   L   U   E   I
N O V A   I M P O L I T E
  T   T   T   H   O
V I R U S   C O B W E B S
  S   L   S   R       I
S T R A T E G I C A L L Y
  I   L   A   M   A
O C T O B E R   S E A T S
      L   C   B   N   E
C R E D I T O R   D I R T
  O   E   E   A   E   A
T W I N E D   Y O D E L S
```

CROSSWORD ∽ 22

```
L A S H   D E S P O T I C
Y   U   D   L   R   O   O
R O D D I C K   E M B E D
I   A   C   D   A   A
C O N S T I T U E N C Y
I   I   E   C   C   P
S A T   O U N C E   O U R
T   A   N   O   S       O
  E M B A R R A S S I N G
A   A   R   O   N   R
C O R G I   G A R B A G E
T   I   E   E   S   N   S
S I N I S T E R   L E N S
```

CROSSWORD ∽ 23

```
P H O B I A   M   S   D
U   B   T H A T C H E R
F I T   O   R   U   A
F   A L U M N I   D A D O
I   I   S   T   D   E
N I N T H   V A L I A N T
    E   P   L   N
D I U R N A L   A G A I N
N   R   R   C   M   O
A R E A   B U R E A U   T
O   P   O   A   S K I
P A C I F I S M   E   O
D   N   L   S W E D E N
```

CROSSWORD ∽ 24

```
K E E N N E S S   A P E S
O   L   I   P   A   H
B E I N G   R E G U L A R
E   T   H   A   L   U
    E   T   W O R K I N G
F I S T F U L   E   D   O
E   A   S       F
A   S L   R E P R O O F
R E P U L S E   E   F
S   R   T   C   F   S
O R I G A M I   T R I L L
M   N   N   E   S   A
E D G E   H A R D S H I P
```

142

CROSSWORD 25

```
S I N E W S   P   A S P
  N   A   S W A N S   R
C A P I T O L   I   S   E
  N   C   I   D R A Y S
K I T C H E N S   I   S
  T   I   G   R   L   E
T Y P I N G   N O O S E S
U   A   G   S   L   N
G   R   U N D E R A C T
G U A N O   A   P   R
I   G   U   G A L L I U M
N   O A S I S   A   S
G I N   T   G Y R A T E
```

CROSSWORD 26

```
F I S T   F A M O U S L Y
O   P   E   I   U   H   O
R E L A X E D   T R O L L
E   A   A     S   W   K
S A T I S F A C T I O N
T   P   L   R   F   B
E K E   E L O P E   F O R
D   D   R   O   T   A
  D I S A F F E C T I O N
L   F   T   H   N   D
O R I B I   S T E T S O N
D   C   O E   D   E   E
E T E R N I T Y   S T E W
```

CROSSWORD 27

```
D R E A D   V E L V E T Y
E   N   I   E   O   O
T   T   G S   R I V A L
E A R L I E S T   C   D
C   E   T E   B E R Y L
T R A V A I L S   S   I
I   T   L     S   O   G
O   R   P E N U M B R A
N E W E R   N   B   V   M
  X   M   A L L U S I V E
D E V I L   I   N   A   N
  R   N   S   I   T   T
S T U D E N T   T R E K S
```

CROSSWORD 28

```
I N C H E S   A F F R A Y
N   O   P   D   A   E   I
C O N F I D E   T   E   E
I   F   C   F A T E F U L
S E E M S   E   E   D
E   T   R   S P I N S
  T   A V E R T   N
A L I A S   N   C   R
R   S   T   S T I L E
M A R T I N I   T   T   A
I   U   S   A B A T I N G
E   F   T   L   N   A
S A F E S T   F L A G O N
```

CROSSWORD 29

```
D I S C O U N T   W I L L
A   A   B   U   D   A
R E I G N   R I V U L E T
E   L   O   S   I   T
  O   X   E X P U N G E
H U R R I E S   R   G   R
A   O   E     L
R   I   U   R E C E N C Y
D E M E S N E   I   E
N   P   D   P   W   A
E N A B L E D   I L E U M
S   I   E   C   S   I
S I R E   I N D E N T E D
```

CROSSWORD 30

```
M U S C A T   A   U   F
O   E   O R D I N A R Y
T E E   D   M   D   I
I   S A L A M I   E R G O
O   A   Y   R   R   H
N O W I N   D E F L A T E
    L   I   S   I
S C A L E N E   R E C A P
  H   T   C   A   H   O
T A X I   I M P O S E   W
  R   M   S   I   E W E
E M P E R O R S   S   R
  S   D   R   H O V E R S
```

CROSSWORD ❦ 31

```
H E A D R E S T   C R A B
I   B   E   M     E   A
F U S S Y   E R R A T I C
I   E   K   L     U   K
N   J   L I B E R T Y
O U T L A Y S   Y   N   R
V     V   Z       R
E   A   I   U N A R M E D
R E V O K E S   N   O
T   A   H   T   S   G
U T I L I Z E   I R A T E
R   L   R   N   I   M
N O S Y   E S S E N C E S
```

CROSSWORD ❦ 32

```
S P E A R S   V   O U T
  U   E   G U E S S   H
C L I P P E R   R   T   I
  S   R   U   B O R O N
C A R T O O N S   I   N
  T   A   T   B   C   E
D E D U C T   H I G H E R
R   E   H   H   G   N
O   S   R O Y A L I S T
P O S E R   B   P   N
O   E   A   B I P E D A L
F   R I S K Y   L   R
F A T   H   H E A T E D
```

CROSSWORD ❦ 33

```
S O S O   G R A C I O U S
O   U   R   U   A   R   E
U P G R A D E   R E P E L
L   A   B   F   I   H   F
S H R U B   U N C L A S P
E   E   L   A   N   O
A R C H E S   S T A S I S
R   A   R   A   U   S
C A L L O U S   R O U T E
H   D   U   K   I   P   S
I D E A S   I N S I S T S
N   R   E   N   T   E   E
G L A D R A G S   S T U D
```

CROSSWORD ❦ 34

```
C A U S A L   C A L I C O
  W   A   I   A   A   H
H E R B   E I N S T E I N
  S   B   D   O   T
S T E A K   K N E E C A P
  R   T   P   I     P
A U T H O R I Z A T I O N
  C   E   E   R   L
S K I N N E D   P I T O N
  A   N   D   B   G
C L U M S I E R   U N I T
  O   E   N   U   T   S
L A P D O G   B L E A T S
```

CROSSWORD ❦ 35

```
A D M I T S   U   B   G
R   A   T U T O R I N G
R E D   E   E   O   E
E   D E T A I N   A V I D
S   E   D   S   D   S
T U N E D   D I S E A S E
  N   E   L   N
E V A S I V E   P S A L M
  U   E   I   G   R   O
G L U M   D I R E C T   D
  C   B   E   E   F L U
P A R L A N C E   U   L
  N   E   T   T W E L V E
```

CROSSWORD ❦ 36

```
T E M P O R A L   V E E R
U   O   V   S   C   E
G R A Z E   L E V E L E D
S   N   R   E   A   U
  E   D   E L E G I A C
A I R D R O P   P   R   I
N   A     I   N
G   E   F   J U D G I N G
R I S O T T O   E   S
I   P   R   R   L   T
E N R A G E D   M I A M I
S   I   A   A   N   E
T O T S   I N C L U D E D
```

CROSSWORD ～ 37

CROSSWORD ～ 38

CROSSWORD ～ 39

CROSSWORD ～ 40

CROSSWORD ～ 41

CROSSWORD ～ 42

CROSSWORD 43

```
G O Y A   E V A C U A T E
L   U   H   I   A   N   G
A R C H I V E   R A T I O
S   C   P       T   W   S
S H A R P S H O O T E R
F     O   A   G   R   S
U S E   P A L E R   P I E
L   X   O   L   A     L
  S H A T T E R P R O O F
A   A   A       H   X   L
X Y L E M   T R E M B L E
I   E   U   W   R   O   S
S I D E S H O W   O W N S
```

CROSSWORD 44

```
A R C T I C   A   A   A
S   U   A L L O C A T E
S E C   R   A   T   T
E   K N I V E S   I R A N
T   O   E   K   N   I
S L O W S   P A T I E N T
    E   N N N   U
S O U L F U L   A M B L E
  W   L   R F   E   V
G N A T   S I L I C A   I
  E   O   E   I   T I C
G R I D I R O N   E   T
  S   O   Y   G L A N D S
```

CROSSWORD 45

```
L I S T E N E D   G A F F
O   H   A   A   M   I
O V A L S   R U S S I A N
M   G   Y   F   D   I
    G G   U N M A S K S
P A Y R O L L   I   T   H
A     I       C   E
N   P N   B I K I N I S
G E O R G I A   E   E
O   N   T   L   G   F
L A C T O S E   S C A P E
I   H   A   O   T   A
N E O N   F U N N I E S T
```

CROSSWORD 46

```
M O C K   A I R P L A N E
O   H   C   N   E   M   X
R U I N O U S   D R A M A
G   N   M   I   A   Z   G
A L A R M   D A N C I N G
N     O   E   T   N   E
F A C I N G   S I N G E R
R   L   W   A   C       A
E Y E W E A R   A S S E T
E   A   A   C   L   N   E
M E R Y L   H O L L A N D
A   E   T   E   Y   R   L
N O R T H E R N   C L A Y
```

CROSSWORD 47

```
C H E S T   F A N T A S Y
O   L   U   L   E   O
N   U   N   E   J E A N S
F A S T E N E D   T   A
I   I   F   C   L E A R N
D E V O U R E D   R   E
E   E   L       A   V   W
N     S   S C A N N E R S
T A L K S   O   D   R   P
  C   E   A M B R O S I A
G R O W S   M   O   I   P
  E   E   A   I   O   E
O S P R E Y S   D I N E R
```

CROSSWORD 48

```
R A G I N G   D A P H N E
I   E   O   D   S   A   L
C O M P O T E   C   S   U
H   S   K   M A R C H E D
L U T E S   O   I       E
Y   O   G   B E L T S
    N   S E R V E   I
E M E R Y   A       T   C
X     S   P   S N E E R
C H E E T A H   U   R   A
I   U   E   I C E L A N D
S   R   M   C   D   T   L
E G O I S T   R E V I S E
```

CROSSWORD 49

```
C A L L     G A M B L E R S
H   Y   E   N   O   S   I
A R R I V E S   I B S E N
R   I   E   W   L   E   G
I N C O N V E N I E N T
S       H   R   N   C   E
M I S L A Y   A G L E A M
A   P   N   U   P       I
  C O N D I T I O N I N G
H   R   E   O   I   T   R
A C R I D   P A N A C E A
L   A   L   I   T   H   T
F U N N Y M A N   T Y P E
```

CROSSWORD 50

```
  P R O P E L L A N T S
D   U   L   O   W   W   E
O N   A R O M A   A R M
M A N I C   F   R   I   B
E E   A   A   D O N O R
S T R E T C H Y       O
T   S   E       T   A   I
I     A L L R O U N D
C E D E D   A   A   S   E
A   O   E   Z   C A T E R
T O W   L A U G H   R   E
E N T   L   E   A   R
  D Y N A M I C A L L Y
```

CROSSWORD 51

```
A T H E N A   F   S A G
  O   O   D E I S T   R
E M P A T H Y   L   Y   E
  B   E   L   M A L T A
D O W N L O A D   I   T
  L   E   N   U   S   E
V A N I S H   A N T H E R
E   E   S   D   G     M
R   G   C I T A T I O N
M E A N S   R   I   T
E   T   P   G E N E R I C
E   E T U D E   L     V
R I D   R     S Y D N E Y
```

CROSSWORD 52

```
B O U T   B I C U S P I D
A   N   D   S   N   L   O
L E T T E R S   R O A D S
L   I   V   U   E   T   E
G O L D E N E A G L E S
A     L   S   I   A   C
M A G G O T   E S C U D O
E   L   P   O   T     N
  W A R M O N G E R I N G
H   C   E   W   R   R   R
A L I G N   A W E S O M E
R   A   T   R   D   N   S
P A L I S A D E   D Y E S
```

CROSSWORD 53

```
B R O K E   E Q U A B L E
E   B   P   X     R   E
J   J   I   T   C R O A K
E X E R T I O N   O   D
W   C   O   R   T W I S T
E S T I M A T E   S   E
L   S   E       S   G   M
E     I   G I F T W R A P
D A U N T   N   O   E   E
  I   F   O V E R H E A R
A M B I T   E   I   N   A
  E   R   N   E   E   T
A D A M A N T   S C R E E
```

CROSSWORD 54

```
S T A Y   W A Y F A R E R
N   S   C   P   A   E   O
I M I T A T E   I M P E L
P   D   R       N   E   L
P R E F E R E N T I A L
E     L   G   H   T   B
T I E   E A G L E   S H E
S   N   S   E   A     V
  C O N S I D E R A B L E
F   U   N       T   E   R
L A N C E   I N E R T I A
A   C   S   R   D   E   G
K E E P S A K E   G L U E
```

CROSSWORD 55

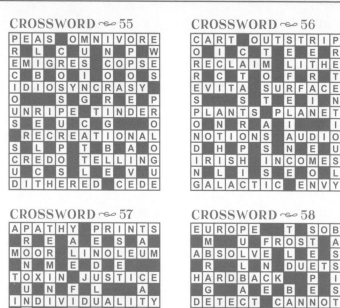

```
P E A S _ O M N I V O R E
R _ L _ C _ U _ N _ P _ W
E M I G R E S _ C O P S E
C _ B _ O _ I _ O _ O _ S
I D I O S Y N C R A S Y _
O _ _ S _ G _ R _ E _ P _
U N R I P E _ T I N D E R
S _ E _ U _ C _ G _ _ O _
_ R E C R E A T I O N A L
S _ L _ P _ T _ B _ A _ O
C R E D O _ T E L L I N G
U _ C _ S _ L _ E _ V _ U
D I T H E R E D _ C E D E
```

CROSSWORD 56

```
C A R T _ O U T S T R I P
O _ I _ C _ T _ E _ E _ R
R E C L A I M _ L I T H E
R _ C _ T _ O _ F _ R _ T
E V I T A _ S U R F A C E
S _ _ S _ T _ E _ I _ N _
P L A N T S _ P L A N E T
O _ N _ R _ A _ I _ _ I _
N O T I O N S _ A U D I O
D _ H _ P _ S _ N _ E _ U
I R I S H _ I N C O M E S
N _ L _ I _ S _ E _ O _ L
G A L A C T I C _ E N V Y
```

CROSSWORD 57

```
A P A T H Y _ P R I N T S
_ R _ E _ A _ E _ S _ A _
M O O R _ L I N O L E U M
_ N _ M _ E _ D _ E _ _ _
T O X I N _ J U S T I C E
_ U _ N _ F _ L _ _ A _ _
I N D I V I D U A L I T Y
_ C _ E _ M _ O _ H _ _ _
D E E P E N S _ S C R A M
_ I _ D _ D _ A _ R _ _ _
D A I Q U I R I _ L I S P
_ A _ U _ S _ V _ E _ I _
T H R E S H _ A S S E S S
```

CROSSWORD 58

```
E U R O P E _ _ T _ S O B
_ M _ U _ F R O S T _ A _
A B S O L V E _ L _ E _ S
_ R _ L _ N _ D U E T S _
H A R D B A C K _ _ P _ I
_ G _ A _ E _ B _ E _ S _
D E T E C T _ C A N N O T
I _ R _ K _ A _ R _ _ U _
S _ A _ _ A L I E N A T E
A R I A S _ O _ F _ _ G _
V _ P _ E _ F O O L E R Y
O _ S T A R T _ O _ _ O _
W O E _ S _ _ S T R A W S
```

CROSSWORD 59

```
W E A K N E S S _ C O L D
A _ D _ O _ C _ _ R _ E _
Y E A S T _ Y E A R N E D
S _ P _ O _ T _ _ A _ I _
_ T _ R _ H E R E T I C _
F E S T I V E _ E _ E _ A
E _ _ E _ _ S _ _ _ T _ _
T _ G _ T _ S P E C K L E
C A R R Y O N _ R _ I _ _
H _ A _ _ E _ V _ T _ K _
I N V O L V E _ O F T E N
N _ E _ _ R _ I _ E _ E _
G O L D _ E S T R A N G E
```

CROSSWORD 60

```
D A M A G E _ H U S H U P
O _ U _ U _ C _ N _ U _ R
D I L E M M A _ T _ R _ E
G _ B _ M _ L O Y A L L Y
E N E M Y _ L _ I _ _ E _
S _ R _ _ O _ N O T E D _
_ R _ Y O U N G _ H _ _ _
M A Y B E _ S _ _ E _ R
O _ _ L _ N _ M O O R E _
R E V A L U E _ O _ R _ I
T _ A _ O _ S O L V I N G
A _ M _ W _ S _ A _ E _ N
R E P A S T _ W R I S T S
```

CROSSWORD ~ 61

```
J A B B E R   C A T N A P
  N   A   O   A   U   G
I T C H   L E N G T H E N
  H   R   E   O   O
S O L A R   E N C R Y P T
  L   I   M   L       A
C O U N T E R A T T A C K
  G     G   W   R   E
C Y N I C A L   H A R M S
    D   L   H   P   A
L A D Y L I K E   P O K E
  W   L   T   R   E   E
H E A L T H   E L D E R S
```

CROSSWORD ~ 62

```
W O N D E R E D   E V I L
E   I   L   N     A   I
P U M P S   A D J U N C T
T   B   E   M     D   T
  U   W   E D U C A T E
P A S C H A L   N   L   R
A     E       C       E
T   U   R   A D O P T E D
H E N P E C K   V   H
E   R     I   E   R   A
T H E O R E M   R I O T S
I   S     B   E   W   H
C U T E   C O N D E N S E
```

CROSSWORD ~ 63

```
S A F E   A C Q U I R E D
T   O   P   R   N   E   A
E A R T H L Y   C A P E D
A   K   I     O   A   S
L I S T L E S S N E S S
T     H   E   T     T   O
H O W   A L T A R   S I P
Y   R   R   U   O     E
  C O S M O P O L I T A N
J   U   O     L   O   I
A R G O N   B R E A K I N
V   H   I   E   D   E   G
A T T A C K E R   O N E S
```

CROSSWORD ~ 64

```
C O L T   T R O P I C A L
H   I   W   A   R   R   E
A R M R E S T   E X U L T
R   B   I   I   R   C   T
A L O N G   O N E T I M E
C     H   N   Q   A   R
T A I N T S   P U L L U P
E   N   L   D   I     E
R E Q U I T E   S I T A R
L   U   F   P   I   R   F
E V E N T   O U T S I D E
S   S   E   R   E   C   C
S A T U R A T E   S K I T
```

CROSSWORD ~ 65

```
I M P A L A   O   P   S
N   R   D E V E L O P S
L E E   D   E   A   O
A   S T A L E R   C O O S
N   E   E   A   A   N
D O T E D   A C T R E S S
    G   T   T   D
P R A Y E R S   A S P I C
  A   P   A   G     L   O
D I E T   G U R G L E   M
S   I   E   A     A I M
R E W A R D E D     S   I
  S   N   Y   E X C E P T
```

CROSSWORD ~ 66

```
D I S P L A Y S   F I R M
O   T   I   E     A   O
T W A N G   A B D O M E N
S   T   H   R     B   O
  I   T   L A N K I E R
D E C E N C Y   A   C   A
E     I       R       I
A   C   N   A I R M A I L
D R A G G E D   A   C
L   S     A   T   T   R
I N K L I N G   I N U R E
N   E     I   O   A   L
E A T S   D O W N P L A Y
```

CROSSWORD ∽ 67

```
A T H L E T E S   O D O R
J U N X   T   U   E
A Z T E C   C   R I O J A
R   S H   U   A   D   S
    P A S S E N G E R S
C A N   E   S   N     E
L I G H T S   A M O U R S
I   E   I   C   I   M   S
N O N O N S E N S E
I   C   G   S   S   E   L
C H I L L   I   I N L A Y
A   E   Y   U   O   A   R
L O S E   E M I N E N C E
```

CROSSWORD ∽ 68

```
C A S T L E   G   S   T
A   C   D R U N K A R D
L E A   I   I   Y   O
L   L A N C E T   D E W Y
U   E   T   A   I   E
P I S T E   T R A V E L S
    U   L   S   E
C A R R I E D   E R R E D
  T   B   O   A   U   I
G O B I   P R I D E S   S
  N   N   A   S   S O P
R E F E R R A L   I   E
  S   S   D   E N T A I L
```

CROSSWORD ∽ 69

```
H A R A R E   S   L O T
  T   E   E V E R Y   R
T H R I V E D   C   R   I
  E   E   I   T W I R L
A I R C R A F T   C   O
  S   E   Y   C   A   G
A T T E N D   F A U L T Y
M   E   T   M   S     H
A   E   N I G H T C A P
T O M E S   S   M   W
E   I   I   S K E P T I C
U   N A T T Y   R   N
R I G   E   S E W A G E
```

CROSSWORD ∽ 70

```
M A C E   M A C H I S M O
A   A   M   V   E   E   W
V I B R A T O   A N V I L
E   I   N   U   D   E   S
R E N O U N C E M E N T
I   F   H   I   T   P
C A N V A S   E S T H E R
K   E   C   A   T     E
  M U L T I F A R I O U S
T   T   U   R   E   I   E
E R R O R   E P S I L O N
E   O   E   S   S   E   T
M O N A R C H Y   A D D S
```

CROSSWORD ∽ 71

```
C O R O N A   E   W   I
A   A   S O L V E N C Y
R U M   C   I   L   A
T   M O T O R S   L A R D
O   E   T   I   D   U
N A D A L   S O L O I S T
    N   B   N   N
S C E N T E D   D E F E R
  L   U   E   S   L   O
B E T A   L I T A N Y   C
  A   L   I   O   I N K
O N E L I N E R   N   E
  S   Y   E   K N I G H T
```

CROSSWORD ∽ 72

```
A I L S   A D M I R E R S
P   I   P   A   N   F   O
P O V E R T Y   A W F U L
L   E   I   D   E   O
A E R O D Y N A M I C S
U   E   I   I   T   S
S A C   O R C A S   S I T
E   U   F   E   S   Y
  P R O P O R T I O N A L
B   T   L   B   A   I
L L A M A   D I L A T E S
O   I   C   I   E   A   T
C O N V E R G E   E L M S
```

CROSSWORD ~ 73

|C|U|B|S| |H|I|G|H|R|I|S|E|
|U| |Y| |A| |T| |Y| |M| |V|
|R|E|T|U|R|N|S| |P|U|P|A|E|
|T| |E| |O| |E| |O| |L| |S|
A	S	S	I	M	I	L	A	T	I	O	N	
I			A		F		H		R		A	
N	I	C	E	T	Y		R	E	P	E	N	T
S		O		H		F		T			T	
	U	N	V	E	R	I	F	I	A	B	L	E
C		G		R		A		C		U		N
O	M	E	G	A		S	L	A	M	M	E	D
M		A		P		C		L		P		E
B	A	L	L	Y	H	O	O		D	Y	E	D

CROSSWORD ~ 74

|S|T|E|P| |O|B|E|D|I|E|N|T|
|O| |M| |R| |U| |I| |Y| |I|
L	O	I	T	E	R	S		S	W	E	A	R
I		T		S			I		L		E	
D	I	S	A	P	P	O	I	N	T	E	D	
I			E		L		F		T		S	
F	E	Z		C	H	I	M	E		S	E	E
Y		A		T		V		C			A	
	A	M	B	I	D	E	X	T	R	O	U	S
A		B		V			I		S		O	
B	R	E	V	E		E	M	O	T	I	O	N
U		Z		L		L		N		E		E
T	R	I	C	Y	C	L	E		A	R	I	D

CROSSWORD ~ 75

|P|U|R|R|S| |B|E|A|T|I|F|Y|
|H| |A| |E| |R| |H| |R| | |
|I| |M| |R| |O| |R|E|P|A|Y|
|L|E|P|O|R|I|N|E| |F| |I| |
|O| |A| |A| |Z| |S|T|O|L|E|
L	E	G	A	T	E	E	S		S		R	
O		E		E			S		C		U	
G		B		S	W	I	T	C	H	E	D	
Y	O	K	E	S		I		I	E		I	
	O		I		E	G	G	P	L	A	N	T
A	Z	U	R	E		E		E	P		I	
	E		U		O	N		L	O			
E	D	I	T	I	O	N		D	O	Y	E	N

CROSSWORD ~ 76

I	R	I	S	E	S		N	O	T	I	F	Y
	E		E		O		I		I			
K	I	L	N		E	N	T	E	R	I	N	G
	N		D		P		I		E			
A	F	O	O	T		G	O	S	S	I	P	S
	O		F		I		N			R		
C	R	A	F	T	S	M	A	N	S	H	I	P
	C			O		L		N		C		
T	E	Q	U	I	L	A		M	I	X	E	R
		N		A		P		P		L		
E	M	B	I	T	T	E	R		P	O	E	T
	A		T		E		O		E		S	
P	R	A	Y	E	D		D	E	T	E	S	T

CROSSWORD ~ 77

|S|U|R|E| |S|H|E|P|H|E|R|D|
|T| |A| |R| |A| |R| |M| |A|
O	D	D	M	E	N	T		E	L	B	O	W
P		I		P			P		R		N	
P	R	O	F	E	S	S	I	O	N	A	L	
A			T		C		S		C		T	
G	A	S		I	N	E	P	T		E	T	A
E		U		T		N		E			R	
	S	C	R	I	P	T	W	R	I	T	E	R
S		C		V			O		H		A	
E	L	U	D	E		H	O	U	S	I	N	G
A		M		L		A		S		C		O
L	O	B	B	Y	I	S	T		S	K	I	N

CROSSWORD ~ 78

|F|A|D|E|S| |V|E|S|S|E|L|S|
|U| |I| |U| |I| | |P| |A| |
|R| |C| |R| |R| |F|L|I|P|S|
|I|N|T|E|G|R|A|L| |I| |E| |
|O| |A| |E| |G| |K|N|E|L|T|
U	L	T	E	R	I	O	R		T		R	
S		E		Y			P		M		A	
L		O		S	T	A	L	L	I	O	N	
Y	A	R	D	S		I		A		S	S	
	B		D		S	L	O	T	H	F	U	L
S	O	L	I	D		I		I		I		A
	D		T		N		N		R		T	
B	E	L	Y	I	N	G		G	R	E	B	E

CROSSWORD 79

```
B E G I N N E R   W A R S
U   A   O   R     D   H
F E M U R   E M P E R O R
F   B   M   C     O   U
  I   A   T E S T I N G
N E T T L E S   C   T   G
O     I     R         E
V   U   Z   A L A R M E D
E X P R E S S   P   O
L   R     S   H   D   S
I S O T O P E   E Q U A L
S   A     R   A   L   O
T A R T   S T E P P I N G
```

CROSSWORD 80

```
E A R L Y   C U I S I N E
S   A   A   H     H   E
T   G   W   I   T R E E S
I N T E N D E D   E   D
M   I   I   F   S W A Y S
A D M O N I S H   S     C
T   E   G     M   C   R
O     G   O K L A H O M A
R O W E R   A   M   N   T
  U   N   A R O M A T I C
A S P E N   A   O   E   H
  T   R   R   T   T   X
A S K A N C E   H A T E D
```

CROSSWORD 81

```
R O S Y   S E T B A C K S
I   T   I   N   R   I   C
C L E A N E R   A O R T A
O   R   D   I   I   C   B
C O N V I N C I N G L Y
H     S   H   W   E     B
E X P E C T   D A M S E L
T   I   R   C   S     U
  U N D E R A C H I E V E
O   I   T   U   I   Q   B
M A O R I   C O N F U S E
A   N   O   U   G   I   L
R A S H N E S S   O P A L
```

CROSSWORD 82

```
C L U M P   T R I F L E D
R   N   E   H     O   G
E   C   D   I   T R A Y S
D W I N D L E D   G   P
U   V   L   V   J E T T Y
L O I T E R E D   R   E
O   L   R     S   S   A
U     A   B L E A C H E R
S Y L P H   O   M   O   B
  O   P   G A Z P A C H O
R U L E D   T   R   K   O
  T   A   H   A   E   K
C H O R A L E   S O D A S
```

CROSSWORD 83

```
C H A P E L   S L E E V E
  O   R   A   E   E   A
A U T O   N U M E R A L S
  S   V   K   E   I
V E X E S   A S C E T I C
  H   R   R   T     N
D O U B L E D E A L I N G
  L     B   R   A   E
A D A P T E D   A D O R N
  R   L   A   Y   M
S T R O L L E R   B O O R
O   W   E   E   U   S
R O L L E D   S I G H T S
```

CROSSWORD 84

```
M A N I L A   I   P   M
E   E   R I G O R O U S
L I T   R   N   O   T
L   T O B A G O   P O U T
O   E   Y   R   O   A
W I D T H   W E A S E L S
  E   A   S   A
S H Y N E S S   F L I R T
  I   D   S   S   N   W
H A V E   U N T O L D   E
T   N   M   I     I O N
L U N C H E O N   C   T
S   Y   D   K N O T T Y
```

CROSSWORD ∞ 85

```
A G R E E D . U P R O O T
S . E . L . H . E . A . E
S U P R E M O . N . S . R
U . L . G . T R A C T O R
M E A T Y . T . L . . . O
E . C . . E . T A P E R .
. E . T U M M Y . L . . .
T A S T Y . P . . A . P .
A . . P E . B I T E R . .
P O A C H E R . A . Y . I
P . X . O . E S C A P E S
E . O . O . D . O . U . O
D I N I N G . U N I S O N
```

CROSSWORD ∞ 86

```
A R R A Y S . B . F . P
D . U . T E E T O T A L
J A B . O . R . R . I .
U . B A N N E R . E Z R A
R . E . Y . I . N . E .
E N D O W . R E G A R D S
. . R . D . S . M . . .
M I N G L E D . B E B O P
. N . A . M . J . A . U
S H U N . O C U L A R . N
. E . I . T . D . R O D
B R U S H I N G . . I . I
. E . T . C . E X H O R T
```

CROSSWORD ∞ 87

```
I B I S . O F F S H O R E
D . T . D . A . A . R . N
I T A L I C S . T R A I T
O . L . V . C . I . C . E
S T Y L E . I N S U L A R
Y . . R . A . F . E . T
N I C E S T . N A U S E A
C . E . I . I . C . . I
R U N D O W N . T H O R N
A . T . N . T . O . Z . M
T I A R A . E A R L O B E
I . U . R . R . Y . N . N
C A R R Y I N G . D E N T
```

CROSSWORD ∞ 88

```
G L E N . A C A N T H U S
R . L . I . H . A . A . U
A D V A N C E . V I V I D
N . E . H . E . I . E . S
D I S C O U R A G I N G .
S . . S . S . A . O . G
O C C U P Y . S T A T O R
N . L . I . S . I . . A
. C O N T I N U O U S L Y
A . S . A . E . N . O . N
C R U M B . E X A M P L E
I . R . L . Z . L . P . S
D E E P E N E D . B Y E S
```

CROSSWORD ∞ 89

```
B U I L D E R S . W H I P
U . D . I . E . D . O . U
G H O U L . L . E S T E R
S . L . A . I . C . S . V
. . A P O C A L Y P S E .
S S . I . S . A . O . Y
T R E N D Y . G R O T T O
U . P . A . A . A . S . R
D E A C T I V A T E . . .
Y . R . I . I . I G S
I M A G O . A . O B A M A
N . T . N . T . N . L . M
G R E W . P E R S U A D E
```

CROSSWORD ∞ 90

```
S O R R E L . E . S . S
E . E . I N J E C T E D
W I G . B . E . O . V
I . R U B R I C . T E E N
N . E . A . T . L . R
G U T S Y . R E L A P S E
. . U . B . D . N . . .
A P O S T L E . A D I O S
. I . P . A . D . N . T
G L E E . M O R B I D . I
. L . N . I . O . E L F
F A N D A N G O . . E . L
. R . S . G . P O O D L E
```

CROSSWORD ~ 91

```
O F F I C E   S P E E C H
P   A   O   A   U   A   O
T O T T I N G   B   R   R
I   A   L   R E L E N T S
C O L T S   I   I     E
S   I     C   S E E P S
  S   B R U S H   N
L E M M A   L     G   S
O     R   T   L A R C H
C A R I B O U   O   A E
K   O   E   R E V I V A L
E   B   L   E   E   E   L
D W E L L S   E R O D E S
```

CROSSWORD ~ 92

```
S I L T   I C E C R E A M
I   E   I   I   R   X   I
L E A R N E R   E X P E L
L   S   C   R   A   L   D
I N T R O D U C T I O N
E     M   S   I   I   A
S I T U P S   A V A T A R
T   E   E   L   E     P
  U N A T T A I N A B L E
S   S   E   Y   E   R   G
A L I E N   M I S S I N G
G   O   C   A   S   D   I
A N N O Y I N G   D E M O
```

CROSSWORD ~ 93

```
O F F K E Y   F E D O R A
  O   E   O   A   E   A
A R T S   G A S O L I N E
  E   T   I   T   V
A C O R N   O F F E R E D
  L   E   T   O     L
R O L L E R C O A S T E R
  S     A   D   U   C
W E B B I N G   A M I T Y
    A   S   H   A   O
A C A D E M I A   T O R E
  O   G   I   I   R   A
A B J E C T   R E A L L Y
```

CROSSWORD ~ 94

```
  R E C O L L E C T E D
C   P   U   O   A   X   S
O   I   S T O M P   A S K
U N C U T   M   E   L   Y
N   U   I   E   R A T E S
T H R E N O D Y       C
E   E   G     S   N   R
R     P L E T H O R A
F I S T S   E   I   U   P
E   L   T   S   L E V E E
I V Y   O N S E T   E   R
T   L   I   E   O   A   S
  S Y N C H R O N O U S
```

CROSSWORD ~ 95

```
O P P O S E   B U M P E D
U   O   M   C   L   U   I
T O R N A D O   Y   M   V
R   T   L   M A S S A G E
U S U A L   M   S     R
N   G     O   E D I T S
  A   C E N T S   M
B U L L Y   S     I   O
U     C   E   C I T E S
M A R I L Y N   R   A   I
B   O   I   S T U T T E R
L   N   E   D   O     I
E F F I G Y   Z E B R A S
```

CROSSWORD ~ 96

```
M I C E   E M P H A S I S
A   U   M   R   U   E   H
D U B I O U S   M O T T O
R   I   T     A   T   W
I N C O H E R E N T L Y
G     E   A   I   E   D
A D O   R E M I T   D Y E
L   P   T   P   A     F
  D E M O N S T R A B L E
F   N   N     I   E   R
L Y I N G   H E A V I E R
E   N   U   I   N   G   A
A U G M E N T S   F E E L
```

CROSSWORD 97

B	R	I	G	H	T	E	N		S	O	A	P
U		S		O		N			U		A	
M	U	R	A	L		S	E	N	A	T	O	R
P		A		L		U			L		O	
	E		Y		E	M	E	R	A	L	D	
A	L	L	O	W	E	D		X		W		I
Q		O				E			E		E	
U		E	O		P	H	R	A	S	E	S	
A	S	U	N	D	E	R		T		C		
R		R			A		I		H		O	
I	S	O	N	O	M	Y		O	D	I	U	M
U		P			E		N		S		E	
M	O	A	T		F	R	E	S	H	M	A	N

CROSSWORD 98

P	O	N	G		E	V	A	N	E	S	C	E
L		A		A		U		T		D		
A	R	S	E	N	A	L		R	E	E	S	E
Y		A		U		S		N		N		
B	E	L	L	I	G	E	R	E	N	C	Y	
A			H		R		R		I		S	
C	A	V	E	I	N		E	Y	E	L	E	T
K		I		L		S		R			A	
	N	O	N	A	L	C	O	H	O	L	I	C
S		L		T		O		Y		E		C
K	H	A	K	I		L	A	M	B	A	D	A
I		T		O		D		E		V		T
M	E	E	K	N	E	S	S		H	E	R	O

CROSSWORD 99

I	N	S	E	C	U	R	E		S	C	U	T
V		W		O		E	D	Y		Y		H
A	D	I	E	U		H		O	C	C	U	R
N		G		N		E		M		L		A
		S	T	R	A	T	E	G	I	E	S	
B		T		R		T		S		C		H
A	L	W	A	Y	S		E	T	H	A	N	E
L		I		W		A		I		L		D
D	I	S	C	O	N	N	E	C	T			
N		T		M		E		A		Y		A
E	L	I	Z	A		M		T	W	E	A	K
S		N		N		I		E		A		I
S	I	G	H		M	A	N	D	A	R	I	N

CROSSWORD 100

	W	O	R	D	P	E	R	F	E	C	T	
U		U		E		G		R		O		D
N		T		B	U	R	M	A		P	H	I
S	E	L	M	A		E		U		R		S
U		E		C		S		D	R	A	F	T
P	I	T	I	L	E	S	S					R
P		S		E			T		B		U	
O			E	S	C	A	P	E	E	S		
R	O	O	F	S		A		F		Q		T
T		R		O		F		F	L	U	F	F
E	G	G		F	L	A	K	E		E		U
D		A		I		R		T		S		L
	I	N	H	A	B	I	T	A	N	T	S	

CROSSWORD 101

Y	E	T	I		P	O	W	D	E	R	E	D
A		H		E		I		I		E		A
C	A	R	E	F	U	L		S	A	S	S	Y
H		O		F		M		I		U		S
T	A	B	L	E	M	A	N	N	E	R	S	
I			R		N		G		G		M	
N	A	T	I	V	E		S	E	R	E	N	A
G		I		E		A		N			N	
	C	L	O	S	E	M	O	U	T	H	E	D
T		T		C		B		O		Y		A
E	L	I	T	E		L	O	U	D	E	S	T
L		N		N		E		S		N		E
L	I	G	A	T	U	R	E		B	A	S	S

CROSSWORD 102

D	A	F	F	Y		G	R	O	O	M	E	D
I		O		I		R		P		A		
S		L		E		U		F	E	A	S	T
M	E	D	D	L	I	N	G		N		E	
I		I		D		G		S	L	I	D	E
S	U	N	D	E	R	E	D		Y			X
S		G		D			H		F		C	
A		S		C	O	V	E	R	A	L	L	
L	O	B	E	S		U		R		N		U
	N		L		S	T	O	M	A	C	H	S
B	I	B	L	E		W		I		I		I
	O		E		I		T		E		V	
E	N	T	R	A	N	T		S	U	R	G	E

CROSSWORD ∽ 103

```
H A L O   S K E T C H E S
Y   O   I   E   E   O   E
P L A I N L Y   C R A W L
E   D   F   P   H   R   F
R I S E R   A M N E S I A
C     I   D   O   E     S
R E C E N T   B L E N D S
I   A   G   S   O       U
T O R M E N T   G I V E R
I   D   M   R   I   E   A
C H I L E   A L S O R A N
A   A   N   I   T   S   C
L O C A T I N G   G E R E
```

CROSSWORD ∽ 104

```
A C H Y   F A R C I C A L
N   A   P   R   O   O   O
D E S E R V E   N O R M S
R   T   A     C   R     S
O V E R I N D U L G E D
I     S   O   U   C   R
D O G   E X I T S   T H E
S O W N     W   N   I   L
  U N F O R G I V A B L E
H   D   R     E   L   A
A B O U T   B E L I E F S
L   L   H   A   Y   E   E
L E A P Y E A R   S P U D
```

CROSSWORD ∽ 105

```
G R A B B I N G   D R A M
O   B   U   O   U   E   I
A T L A S   R   N E P A L
T   Y   I   D   D   R   K
    I N F I D E L I T Y
C   M   E   C   R   S   W
O T I O S E   I G U A N A
L   G   S   A   L       Y
U P H O L S T E R Y
M   T   I   R   M   L   H
B R I N K   O   E X U D E
U   L   E   N   N   S   A
S A Y S   A G I T A T O R
```

CROSSWORD ∽ 106

```
G L O O M Y   F R O L I C
A   U   O   R   E   U   R
L E T T U C E   G   L   O
O   R   N   S H A L L O W
S K I E D   P   I       D
H   G     L   N O U N S
  H   D R E G S   M
L A T H E   N     B   S
A     V   D   C U R I A
M I D W I F E   O   E   W
I   A   L   N O V E L T Y
N   U   R   T   E   L   E
A B B E Y S   U N F A I R
```

CROSSWORD ∽ 107

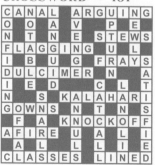

```
C A N A L   A R G U I N G
O   O   A   V     P   E
N   T   N   E   S T E W S
F L A G G I N G   U   L
I   B   U   G   F R A Y S
D U L C I M E R   N     A
I   E   D     C   L   T
N     S   K A L A H A R I
G O W N S   N   T   N   S
  F   A   K N O C K O F F
A F I R E   U   A   L   I
A   L     L   L   L   E
C L A S S E S   L I N E D
```

CROSSWORD ∽ 108

```
E X T A N T   P A L A T E
N   A   O   S   L   U   V
J U J I T S U   R   R   A
O   M   E   P R E P A I D
Y E A R S   E   A       E
S   H     R   D O L L S
  A   D I M L Y   E
V A L V E   A     G   U
I     P   R   G R A I N
O U T W O R K   R   L   I
L   O   S   E L E M E N T
A   R   E   T   A   S   E
S H O D D Y   O T T E R S
```

CROSSWORD ∽ 109

CROSSWORD ∽ 110

CROSSWORD ∽ 111

CROSSWORD ∽ 112

CROSSWORD ∽ 113

CROSSWORD ∽ 114

CROSSWORD ~ 115

```
R A M S   A B S O R B E D
E   E   B   I   N   R   I
I N D O O R S   O M I T S
N   I   O   T   M   S   A
C L A N G   R E A C T E D
A       I   O   T   L   V
R I C H E S   B O D E G A
N   O   W   B   P       N
A M P H O R A   O C T E T
T   Y   O   S   E   Y   A
I C I N G   S L I C I N G
O   N   I   E   A   N   E
N E G L E C T S   A G E D
```

CROSSWORD ~ 116

```
C I T E   D A T A B A S E
A   A   R   N   D   T   N
M O C K E R Y   D A T E D
P   I   M   W   I   A   S
A S T R O N A U T I C S
I       R   Y   I   K   S
G R E A S Y   M O U S S E
N   Y   E   B   N       A
  P E R F O R M A N C E S
B   B   U   O   L   O   H
A U R A L   G A L I L E O
R   O   L   U   Y   O   R
N E W L Y W E D   O N C E
```

CROSSWORD ~ 117

```
B U B B L E   F   I   I
E   U     S T O R M I N G
F I R   S   X   P   F
O   D E C A N T   O P U S
U   E   Y   R   R   S
L E N D S   S O R T I E S
    Y   B   T   E
O P I N I O N   A D D E D
A   A   R   S   I   E
T R A M   O C T E T S   V
  T   I   U   U   M O O
H E P T A G O N   A   U
  D   E   H   G I M L E T
```

CROSSWORD ~ 118

```
F A C E S   S W I F T L Y
O   Y   T   I   R   E
R A A E   R O U G E
M I N D L E S S   T   A
U   I   E   T   S H E L F
L O D E S T A R   S   R
A   E   T     I   K   I
T     R   S P I N N I N G
E A V E S   L   S   N   H
  L   S   R E T I C E N T
P L I E S   N   G   T   E
  O   N   T   H   I   N
M Y S T E R Y   T I C K S
```

CROSSWORD ~ 119

```
S T A B L E   B O D I C E
  A   X   A   A   O
D R A B   P U D D I N G S
  A   Y   O   M   S
S N A I L   C O P Y C A T
  T   S   P   U   D
A U T H O R I T A T I V E
  L   O   H   Y   A
C A T H O D E   S P I N E
  I   U   H   E   T
B A C K A C H E   S W A N
  N   E   E   A   E   G
H Y B R I D   L A T H E R
```

CROSSWORD ~ 120

```
  L A U G H I N G G A S
R   P   A   N   A   R   E
E R   U N F I T   B O X
P L I E D   A   E   O   O
A   C   I   M   S U R F S
T R O L L E Y S       K
R   T   Y     L   U   E
I       P A T E R N A L
A L L O W   L   A   D   E
T   O   H   L   F L E E T
E A R   A T O L L   R   O
D   D   L   U   E   G   N
  O S T E N T A T I O N
```

CROSSWORD ∾ 121

CROSSWORD ∾ 122

CROSSWORD ∾ 123

CROSSWORD ∾ 124

CROSSWORD ∾ 125

CROSSWORD ∾ 126

CROSSWORD ～127

```
E P O N Y M   A S S I S T
  E   O   A   P   O   I
D R E W   N E E D L I N G
  P   H   E   R   V
F L U E S   H I D E O U S
  E   R   G   T       N
E X P E D I T I O N A R Y
  E       U   F   A   E
O D D N E S S   S T A F F
      E   E   S   I   I
D E C R E P I T   V I N E
  Y   V   P   U   E   E
S E V E R E   B E S I D E
```

CROSSWORD ～128

```
  O B S T R U C T I O N
B   R   H   N   U   D   S
R   I   U P P E R   D O T
O T T E R   A   F   E   A
T   I   M   I   S H R U G
H U S B A N D S       E
E   H   N       B   M   F
      O C C U P I E R
H O P E D   A   F   N   I
O   R   R   R   F L U N G
O W E   A L P H A   T   H
D   E   K   E   L   I   T
  I N T E N T I O N A L
```

CROSSWORD ～129

```
U P B E A T   R E S O R T
  R   J   R E T   I
N E V E   E S C A R G O T
  S   C   E   E   I
P E L T S   L I M P O P O
  R   O   S   P       A
O V E R S T A T E M E N T
  E       A   S O   I
A D J U D G E   G R A C E
      N   N H   O   K
Q U A D R A T E   C R I B
  M   I   T   N   C   N
P A D D L E   S P O N G E
```

CROSSWORD ～130

```
N E S T   S T A R G A Z E
O   T   B   I   O   U   A
B L U R R E D   M A S T S
O   F   O   B   A   T   T
D E F L A T I O N A R Y
I   D   T   T   I   D
E F F A C E   M I K A D O
S   R   A   T   C       W
  D I S S E R T A T I O N
T   E   T   I   L   N   P
H A N O I   C A L Y P S O
E   D   N   K   Y   U   U
N O S E G A Y S   S T I R
```

CROSSWORD ～131

```
  C O S M O L O G I S T
D   B   E   A   A   I   I
E V   A P R O N   D I M
V E I L S   V   G   L   P
A   O   U   A   S P E A R
S Q U I R T E D       O
T   S   E       M   S   V
A     S E M I T O N E
T U R N S   N   N   A   M
I   O   O   S   D E N S E
N O W   U N I T S   D   N
G   D   T   G   E   S   T
  H Y P H E N A T I O N
```

CROSSWORD ～132

```
M U T I N Y   A V O W E D
A   H   O   C   I   E   E
P O R T I C O   N   L   J
L   I   S   N A T A L I E
E N V O Y   T   A   C
S   I   I   G H O S T
    N   S I N G E   U
F I G H T   U   T   W
I   A   A   F A L S E
S E N E G A L   L   I   E
C   E   G   L E A R N E D
A   T   E   Y   M   E   E
L A S E R S   M E N D E D
```